Primera edición, junio de 2024

Microayuda SEDOPTICA Luce 2023

Impreso en PodiPrint

ISBN: 978-9916-9819-9-3
Estonia

Voces brillantes: expertas en óptica y fotónica

Anna Isabel Garrigues Navarro,
Ana Isabel Gómez Varela
Pilar Granados Delgado

Voces brillantes: expertas en óptica y fotónica

Índice

Prólogo

Estimada lectora, estimado lector,

Permítenos empezar este prólogo expresando nuestra más sincera gratitud por tener entre tus manos este ejemplar de *Voces brillantes: expertas en óptica y fotónica.* Es un privilegio compartir este espacio contigo, donde convergen la curiosidad, el conocimiento y el amor por la ciencia. En este volumen hemos recopilado una pequeña muestra del brillante panorama de investigadoras en activo en el campo de la óptica y la fotónica.

Tanto si este libro ha llegado a ti por mera curiosidad, buscando ampliar tus horizontes en el fascinante mundo de la óptica y la fotónica, o por el deseo de explorar la diversidad de la ciencia que se gesta tanto en España como en otros rincones del globo, queremos que sepas que has acertado al abrir estas páginas.

Quizás te encuentres aquí en busca de inspiración, con la idea de conocer a las referentes que dejan huella día a día en el campo de la óptica y la fotónica. Tal vez te hayas propuesto desafiar los mitos obsoletos que sugieren la escasez de mujeres en estas disciplinas y que conducen a, entre otras cosas, los injustificables y tristemente frecuentes *all men panel.* Sea cual sea tu motivo, te aseguramos que has tomado la decisión correcta al sumergirte en las entrevistas que hemos recopilado para ti desde el Área de Mujer, Óptica y Fotónica de la Sociedad Española de Óptica (SEDOPTICA).

A lo largo de los años 2019, 2020 y 2021, nuestro programa "Conoce a las investigadoras" se ha dedicado apasionadamente a destacar el trabajo y la trayectoria de científicas y profesionales españolas en todas las etapas de sus carreras. Desde las jóvenes promesas que apenas comienzan su carrera hasta aquellas que ya han dejado una marca indeleble en el ámbito de la investigación, la docencia y la empresa, entre otras. Cada entrevista ofrece una ventana única a su visión del mundo científico, sus desafíos y sus logros.

Esperamos que en estas entrevistas encuentres inspiración, conocimiento y, sobre todo, una comunidad vibrante de mujeres que desafían los límites y rompen barreras día tras día. Que cada historia te motive a seguir explorando, aprendiendo y soñando en grande.

Por nuestra parte, nos sentimos honradas de presentarte estas entrevistas, confiando en que disfrutarás conociendo a estas investigadoras y profesionales tanto como nosotras lo hemos hecho al recopilar sus historias.

Como no podía ser de otra manera, no podemos despedirnos sin antes agradecer a todas las entrevistadas su tiempo y su generosidad para compartir con nosotras sus experiencias, sus dificultades y sus valiosos consejos. Así que, a todas ellas, ¡GRACIAS!

Enero 2019 -

Entrevista a María Josefa Yzuel *(MJY)* y María Luisa Calvo *(MLC)*

María Josefa Yzuel *(MJY)*

es Catedrática Emérita y Profesora Honoraria de la Universitat Autònoma de Barcelona, donde fue Catedrática de Óptica desde 1983. Es miembro de la Reial Academia de Ciències i Arts de Barcelona, y académica correspondiente de las Academias de Ciencias de Granada y Zaragoza. Fue profesora en las Universidades de Zaragoza y de Granada. Ha publicado más de 250 artículos y ha dirigido 20 tesis doctorales. Ha trabajado en teoría difraccional de la imagen, en la evaluación de la calidad de la imagen en sistemas ópticos y sistemas médicos, en el reconocimiento óptico de objetos por correlación y en el estudio de moduladores espaciales de luz basados en pantallas de cristal líquido y su aplicación a óptica difractiva. Es *Fellow member* de Optica (antes OSA), SPIE, IOP y EOS y es Miembro de Honor de la RSEF y de SEDOPTICA. Ha recibido el Doctorado Honoris Causa de la Universidad Miguel Hernández de Elche y de la Universidad de Granada, la Encomienda de la Orden Civil de Alfonso X el Sabio, la Medalla de Física de la Real Sociedad Española de Física y la Fundación BBVA, y el Premio de Igualdad de la Universidad de Alicante, además de otros premios.

Ha sido Vicepresidenta de la ICO, Presidenta de SEDOPTICA, Secretaria General de la EOS, Vicepresidenta de la RSEF y Vocal en COSCE. En 2009 fue Presidenta de SPIE (The International Society for Optics and Photonics). Es presidenta del Comité Español del Día Internacional de la Luz.

María L. Calvo ***(MLC)*****,**
física, licenciada por la Universidad Complutense de Madrid (UCM) en 1969. Su iniciación a la investigación comenzó con trabajos de control de calidad en la fabricación de vidrio, centrándose en la calidad de las superficies y el análisis de tensiones en los laboratorios de Philips en Los Países Bajos. Exploró las propiedades ópticas de vidrios y materiales amorfos durante su estancia en el Instituto de Óptica de París, donde obtuvo su Doctorado en 1971. De regreso a España, se incorporó al Departamento de Óptica de la UCM, realizando estudios teóricos sobre los defectos de dispersión de la luz en medios isotrópicos con la presentación de un doctorado que obtuvo premio extraordinario. En particular, ha colaborado con el Prof. Jay M. Enoch, una reconocida figura de la óptica, de la Escuela de Optometría de la Universidad de California en Berkeley, en estudios experimentales sobre modelos de visión y sobre la historia de la óptica. Sus líneas de investigación son óptica electromagnética, holografía, fotomateriales, procesado óptico de la información y óptica de neutrones. En estos campos ha publicado más de 200 artículos científicos, capítulos de libros y libros, tanto en inglés como en español. En 2008, se desempeñó como Presidenta de la Comisión Internacional de Óptica (ICO). En la actualidad, la Prof. María L. Calvo continúa su labor académica y de investigación como Catedrática Emérita en el Departamento de Óptica de la Facultad de Ciencias Físicas de la Universidad Complutense de Madrid.

Entrevista realizada por María Viñas.

¿Cuándo decidisteis que queríais ser científicas? ¿Os planteasteis abandonar la carrera científica en algún momento?

MJY: Al acabar el bachillerato y hacer el curso preuniversitario, me planteé estudiar una carrera de ciencias. Me gustaban las Matemáticas y mis opciones eran Matemáticas o Física. Tuve siempre el apoyo de mi familia y la orientación de una profesora de Matemáticas. Entonces, en la Universidad de Zaragoza se podía empezar con dos cursos comunes a estas licenciaturas: Matemáticas y Física. Después de este periodo común me incliné por la Física, por estar cerca de la resolución de problemas de la naturaleza y del universo. Para el doctorado elegí Óptica y desde entonces opté por continuar con mi profesión científica. Tras catorce meses en el Reino Unido haciendo un postdoctorado volví a la Universidad de Zaragoza y allí comenzó mi carrera como profesora universitaria. Siempre me ha gustado la posibilidad de investigar y enseñar y he disfrutado mucho trabajando con jóvenes, dirigiendo sus tesis doctorales. No me he planteado en ningún momento dejar la carrera científica.

MLC: Desde pequeña siempre me gustaron mucho las Ciencias Naturales y la observación de la naturaleza. Cuando tenía doce años mi padre me regaló el libro: Los cazadores de microbios, del holandés Paul de Kruiff. Era un libro muy bonito donde aparecía, por primera vez para mí, la existencia del mundo microscópico, y desde entonces he seguido con ese interés por la microscopía. Inicialmente pensé en estudiar Biología, pero también me gustaba la Física y las Matemáticas y, por ello, me decidí por la licenciatura en Físicas. Nunca desde que empecé a estudiar en la universidad me planteé dejar esa carrera, sino que tenía un gran interés en llegar a aprender más, a investigar en temas que tuvieran conexión con la microscopía, la luz, la Óptica, la estructura de los materiales, aunque ciertamente cuando se empieza no se tiene una visión clara de cómo es realmente el mundo de la ciencia. A ello llegué de forma paulatina como creo que les habrá pasado a otros muchos colegas cuando se iniciaron en la investigación.

¿Qué cosas han mejorado y cuáles no desde vuestra época como jóvenes investigadoras hasta ahora?

MJY: En Física, hace 40 o 50 años había más desarrollo en investigación teórica que en experimental, ya que, con poca financiación, era más fácil desarrollar investigación teórica, y era muy difícil encontrar laboratorios experimentales, aunque, en mi caso, hice la tesis con un trabajo experimental. Ahora, en las universidades, en el CSIC y en institutos de investigación hay laboratorios que pueden compararse con cualquiera a nivel internacional. Ha habido un salto muy grande en el nivel y la calidad de la investigación, pero desde hace dos o tres años hay un problema, la financiación. En ciencia es un asunto muy delicado porque si no se avanza, no sólo no se mejora, sino que se amplía la distancia, porque el resto sigue progresando. Además, los jóvenes, en este momento, no tienen tantas oportunidades para poder incorporarse a los grupos de investigación.

MLC: Cuando terminé la carrera en España, y más concretamente en Madrid, no había muchas posibilidades de entrar en un laboratorio de investigación ni de iniciar una carrera investigadora. Las becas eran escasas al igual que las infraestructuras tanto en la universidad como en los centros de investigación. Me fui a París como becaria del gobierno francés y entré en el Laboratorio de Vidrios del

CNRS donde inicié una tesis de universidad a la vez que asistía al curso de tercer ciclo sobre coherencia Óptica en la Universidad de París, en Orsay. En París estuve casi cuatro años y fue una etapa muy importante para mi formación. Ciertamente, ahora no existen esas dificultades, las infraestructuras han crecido enormemente al igual que los laboratorios de investigación tanto en la universidad como en las instituciones científicas. Y los jóvenes investigadores tienen más posibilidades de formarse en España, si bien, ya sabemos que, en los últimos años con la crisis económica, muchos también han tenido que buscar becas en el extranjero como me pasó a mí muchos años antes. Lo que puede parecer que sigue igual es la falta de interés social por la ciencia en nuestro país. A pesar de los enormes progresos y del alto nivel que tienen los científicos en muchas ramas de la ciencia, no sólo en Física y en Óptica, sino en general, en campos muy diversos como la Biomedicina, la Bioquímica y otros muchos, es muy difícil conseguir que los logros y los avances se vean reflejados en los medios. Ello hace que los jóvenes que se dedican al mundo de la ciencia a veces se vean algo marginados o que, en muchos momentos, haya una gran falta de comprensión y de interés por parte de los sectores económicos y políticos. De todas formas, soy optimista sobre estos aspectos ya que creo que la gente joven ahora tiene claro que tiene que manifestar abiertamente su interés y sus resultados en su trabajo en ámbitos muy diversos. Creo que la explosión de las redes sociales, en cierta medida, también produce una mayor visibilidad, aunque todavía es mucho lo que hay que hacer para que la sociedad tenga un mínimo de reconocimiento por el trabajo de los científicos.

¿Cómo veis la situación de la investigación en Óptica en España? ¿Cuál ha sido el impacto de los recortes en ciencia en estos últimos años?

MJY: La formación que reciben los jóvenes es muy sólida y los avances nos han puesto al nivel de cualquier país con una ciencia desarrollada. El peligro está en que esa progresión no ha continuado debido a los recortes. En la conferencia que preparé para la celebración del 50 aniversario de SEDOPTICA presenté una gráfica sobre el ritmo de publicaciones científicas de investigadores españoles. Esta gráfica tenía una curva ascendente hasta que llegó la crisis y desde entonces es plana. Mi interpretación es que se mantiene plana porque los grupos aún viven de las subvenciones anteriores y por el tesón y voluntad de los investigadores. Si no se corrigen los recortes, esa curva descenderá en los años próximos. Creo que es cuestión de dinero en la subvención de proyectos y en la concesión de becas a los nuevos investigadores. Otro punto importante es que los jóvenes investigadores no encuentran posibilidad de quedarse en laboratorios o centros españoles. El elevado nivel de la Óptica en España queda reflejado en el número de premios científicos nacionales e internacionales que han recaído en ópticos españoles.

MLC: La Óptica en España ha avanzado muchísimo en estas últimas décadas. La comunidad de investigadores en Óptica y Fotónica ha crecido sustancialmente y tenemos una alta proyección y prestigio internacional. Se hacen trabajos de mucha calidad tanto en el área teórica como experimental. Hay grupos trabajando en temáticas muy diversas en Óptica, Fotónica, visión, láseres, biofotónica, ciencia básica y aplicada, por dar algunos ejemplos y no extenderme mucho. También han crecido los centros y los laboratorios asociados y todo ello ha producido un gran número de resultados que se pueden ver publicados en las revistas de mayor impacto del área. También ha crecido la conexión con la industria y la creación, por ejemplo, de empresas *spin-off* que están dando una proyección importante de tecnologías nacionales. En esos aspectos podemos estar contentos de los resultados obtenidos y siempre, hay que comentarlo, como resultado de un gran esfuerzo y dedicación.

Ya ha quedado demostrado, no sólo en España sino en el entorno económico mundial, que la crisis económica ha causado grandes problemas en muchos sectores como en el sector académico, en el mundo de la educación, en las instituciones científicas de nuestro país y en el mundo empresarial conectado con la investigación científica y la tecnología. Las dificultades no se han hecho esperar, ya que ha habido en los últimos años un recorte en inversión pública notoriamente importante. Los que nos dedicamos a la investigación, en este caso concreto en Óptica y Fotónica, sabemos que hace falta una inversión continuada y sostenida que permita a los laboratorios y a los grupos de investigación mantener su ritmo de producción, ofertas de trabajo a jóvenes investigadores y, en definitiva, una mejora clara en la calidad de las actividades investigadoras. Hay que decir que pese a los recortes y dificultades la comunidad científica ha salido adelante y se ha seguido con un ritmo de producción científica importante y de calidad, lo cual indica el nivel profesional de nuestro sector. Si bien, esto no puede quedar en un mero ejemplo de calidad humana, sino que es necesario seguir empujando para que los gobiernos actúen con una clara intención de invertir mucho más en ciencia.

¿Qué puede la Óptica española aprender de otros países? ¿Y qué creéis que tiene que ofrecer? ¿Creéis que la ciencia española estará alguna vez a nivel de inversión estatal equivalente a otros países europeos?

MJY: Como he dicho anteriormente, la investigación en Óptica en España está a un nivel muy bueno y hay algunas ramas de la Óptica que tienen un nivel excelente. Sin embargo, el desarrollo de la industria en Óptica y en Fotónica es menor al experimentado en otros países avanzados. Falta más fluidez en el transvase de avances científicos de los laboratorios a la industria. La existencia de plataformas como SECPhO y Fotónica 21 que agrupan pequeñas y medianas empresas ayuda al desarrollo de las mismas. De momento no parece que ni la inversión estatal ni la privada en investigación y desarrollo en España se acerque, en un futuro próximo, a la de los países europeos más desarrollados.

MLC: Los grupos de investigación en Óptica y Fotónica en nuestro país están en condiciones de investigar a un nivel altamente competitivo y de desarrollar tecnologías propias. Ello indica que con políticas efectivas se podría conseguir una situación muy mejorable con ofertas tecnológicas que sean transferibles a otros países. Esta ha sido, en general, la orientación que se ha dado a la investigación científica en los países de mayor desarrollo industrial. Está ampliamente demostrado que los países que invierten en tecnologías propias mejoran su PIB.

Actualmente, y tal como indican los índices económicos anuales y las estadísticas, por ejemplo, de la Unión Europea, España está a la cola en inversión para la ciencia. Los índices son escandalosamente bajos. En el último año la inversión ha crecido por encima de los índices de hace seis años que, de todas formas, eran susceptibles de incrementos sustanciales. En 2018 la inversión ha sido del 1,2%

del PIB frente al 1,19% del año anterior. Para tener una idea, en el 2008, año de comienzo de la crisis económica, el desembolso para investigación en España representaba el 1,32% del PIB y logró marcar la menor distancia con respecto a la media de la Unión Europea. Por lo tanto, es mucho todavía el esfuerzo a realizar y la mejora a todos los niveles incluida también la inversión en educación. El objetivo para el 2020 sería llegar al menos a un 2% del PIB, algo que creo, no será fácil de conseguir. Como dato comparativo, solo ya en 2015, la inversión en I+D en Alemania fue del 2,88% del PIB.

¿Cómo crees que se puede ayudar a "revertir" el éxodo científico?

MJY: Creo que tiene que ver con políticas que tomen en serio la ciencia y la ingeniería. ¿Valora la sociedad tanto la investigación y el desarrollo tecnológico como para considerar que este éxodo de jóvenes científicos muy preparados sea un problema? Cuanto más preparada esté la sociedad para apreciar el valor de la Ciencia en el desarrollo de un país, más se transferirá a los políticos esta inquietud.

MLC: Como profesora en la universidad y en una Facultad de Ciencias Físicas he vivido de forma muy directa el problema de la falta de oportunidades para los jóvenes investigadores en España, sobre todo en estos últimos años. Podemos decir que, en general, nuestros alumnos tienen una buena formación académica y pueden desarrollar trabajos y actividades de calidad y tener la capacidad de tomar iniciativas. Son, evidentemente los futuros científicos de nuestro país. Sin embargo, mi experiencia ha sido el ver como muchos de los mejores alumnos han decidido irse fuera mediante becas y ayudas, la mayor parte de las veces con becas y ayudas económicas de otros países.

Muchos además todavía siguen fuera de España después de varios años, y aunque tengan una intención de volver e incorporarse a centros españoles, estas incorporaciones se están retrasando, en muchos casos por las dificultades en conseguir, al menos, una situación profesional equiparable a la que se está disfrutando. Esta sangría generacional tiene que acabar y ello solo se puede conseguir mediante programas de inserción que permitan al menos unos cinco, o más, años de estabilidad en su regreso, tanto en predoctorales como postdoctorales. Sabemos que no es lo que está ocurriendo y, por tanto, el futuro no se prevé muy prometedor si no se cambian de forma drástica las políticas de inversión en I+D y en educación. En diciembre de 2018 se anunció una inversión de 100 millones de euros para incorporación de investigadores en el extranjero. La mayor parte de esta inversión se dirigirá a los programas Ramón y Cajal. Desconozco cual es el estado actual de este proyecto dado que a fecha de enero de 2019 no están aprobados los PGE. De todas formas el ministro Pedro Duque ya dijo en su momento que estos problemas no se pueden "arreglar a muy corto plazo".

La discriminación de género en Ciencia siempre se asocia a la maternidad ¿creéis que es el principal factor o hay otros factores que afectan al desarrollo de la carrera científica de las investigadoras? ¿Qué medidas creéis que pueden ayudar a disminuir la brecha de género en ciencia y romper el techo de cristal?

MJY: La maternidad es un factor importante, pero hay otros; en general el cuidado de las personas: niños y mayores, que recae más en las mujeres. Es difícil para mí, sin una preparación en sociología, analizar las causas. Creo que la discriminación de género existe en dos momentos cruciales: uno en la adolescencia, cuando tienen que ir pensando que carrera estudiar, al acabar el bachillerato. En ese momento hay una clasificación de estudios más propios para hombres y otros más propios para mujeres. Esto va cambiando poco a poco y podría mejorarse haciendo más visibles a las mujeres y al trabajo que hacemos en ciencias e ingenierías. Los medios podrían ayudar, eligiendo a mujeres para entrevistas, sacando noticias de resultados obtenidos por hombres y por mujeres. Hay otro momento crucial y es al acabar las carreras de ciencias e ingeniería o el doctorado y es cuando algunas abandonan su carrera como investigadoras por ser más difícil de combinar con su proyecto familiar. Esto es común con otras profesiones y aquí podría influir si perciben aislamiento y un clima discriminatorio en los laboratorios, incompatibilidad familia-ciencia, y sesgos inconscientes o conscientes a la hora de contratar o promocionar. Las medidas que se pueden aportar son en una educación en igualdad y con medidas sociales que apoyen a la mujer en el desarrollo de su profesión. Para romper el techo de cristal ayudaría la colaboración de hombres y mujeres.

MLC: No creo que la discriminación de género en ciencia esté exclusivamente asociada a la maternidad, aunque es cierto que constituye un factor que afecta a las carreras científicas de mujeres que han escogido la investigación y la docencia como profesión y a su vez han tenido que compatibilizar estas actividades con la crianza y la educación de sus hijos. Si bien, no es menos cierto que en otras profesiones se observa igualmente un factor de peso muy bajo en la presencia de mujeres en muchos sectores de carreras profesionales, como puede ser en el caso de la judicatura, la ingeniería y otras ramas técnicas. Sabemos que en sociedades que parten de modelos donde el rol de la mujer siempre ha estado ligado a su presencia continua en la familia los cambios son siempre muy lentos. Además, este hecho va asociado a una invisibilidad de la mujer en el mundo profesional. En el s. XXI podemos esperar que haya una clara progresión, pero los datos que se manejan actualmente indican que hay menos estudiantes mujeres que eligen estudiar ciencias e ingeniería. Los roles sociales están muy desdibujados y los medios de comunicación ayudan muy poco. Hay muy poca cultura científica en nuestro país, la tradición es que la información en los medios se dirija a otros sectores, y, por ello, el perfil de mujeres investigadoras parece tener poco interés mediático. Ello, sin duda, es un signo de que la cultura, en general, no está promocionada todo lo que haría falta. Las últimas estadísticas que se han hecho indican que en España hay, al menos, un 40% de la población que nunca lee libros. La situación de la mujer en el mundo de la ciencia en España ha mejorado, pero queda mucho camino por recorrer, sobre todo en lo que respecta a puestos de responsabilidad. Creo que la manera de abordar este problema de falta de presencia de mujeres en muchos sectores es hacerlo evidente en los medios sociales. Para ello, nosotras tenemos que tomar iniciativas, y me alegro mucho el que se haya creado este Área de Mujeres en óptica y fotónica en SEDOPTICA. En el campo de la Óptica es mucho lo que se puede hacer ya que es una disciplina con temas que pueden calar de forma más inmediata en el interés de la gente joven. Nos toca movernos y seguir en esta línea. Es bueno abordar todos los medios posibles, por ejemplo, en nuestra actividad docente, investigadora, en los medios de comunicación, redes sociales, sociedades científicas y con nuestro propio trabajo personal que tiene que ser una proyección de nuestro nivel científico. Pero donde realmente se puede hacer una labor efectiva es en el entorno familiar y escolar, donde se eduque tanto a niñas como a niños en un plano de igualdad, y donde las niñas no se sientan presionadas e influenciadas por modelos que las pueden alejar de cualquier actividad intelectual.

Ya llevamos más de diez años aplicando políticas de igualdad, sin embargo, esto no ha mejorado los datos en el número de mujeres accediendo a puestos de estabilización. ¿Qué está fallando? ¿Creéis que no han sido las medidas adecuadas? ¿Qué opináis sobre las políticas de cuotas?

MJY: Estoy de acuerdo con el planteamiento de esta pregunta y es importante tener una panorámica de qué ha pasado. Está siendo difícil, como decía anteriormente, para todos los científicos acceder a puestos estables y en épocas de crisis es aún peor para las mujeres. No me atrevo a decir que no son las medidas adecuadas, porque poco a poco se va consiguiendo legislación que favorece a las mujeres, pero es importante que esas leyes calen en la sociedad y se apliquen. No estoy en contra de las políticas de cuotas, al menos hasta que se consiga la normalización.

MLC: No tengo muy claro que las políticas de cuotas ayuden a reparar la falta de mujeres en muchos sectores profesionales de nuestra sociedad. Puedo contar aquí una anécdota que ocurrió en Bruselas, cuando participaba en un panel para proyectos de investigación en la Unión Europea. En un momento dado alguien, una mujer, se levantó y dijo que en aquella sala había contabilizado muchas menos mujeres que hombres y que se tenía que aplicar al menos el 33% y que si no ella abandonaba el panel. Hubo momentos de bastante discusión. Y hubo también intervenciones interesantes como la de una panelista que dijo que ella se quería asegurar que estaba allí por sus conocimientos y por ser especialista en el área de lo que se discutía (física y química) y que esperaba que su presencia no se debería únicamente a ajustarse a una cuota. La forma de paliar la ausencia de mujeres en puestos de responsabilidad es que las políticas de ayuda al entorno de la mujer sean eficaces. Muchas veces se proponen programas que parecen muy avanzados, pero luego no se cumplen. Por ello, a la escalada de las mujeres en la sociedad en su ámbito profesional no se le tiene que poner límites.

¿Qué aconsejaríais a las jóvenes investigadoras que se inician en la carrera científica?

MJY: Seguir en tu carrera y perseverar, teniendo confianza en ti misma y en lo que puedes hacer. No permitas que nadie te desanime. Al principio de tu carrera puede ayudar el conocer y hablar con alguien que trabaje en el campo que te interesa y que pueda orientarte. Es importante elegir el entrar en un buen grupo de trabajo y desarrollar las cualidades para trabajar bien en equipo, respetando a los compañeros de trabajo y valorando el trabajo bien hecho. No hay que preocuparse porque algo no se sabe, nadie sabe contestar a todas las preguntas que surgen; date tiempo e intenta trabajar y resolverlo. Es un buen momento para dedicarse a la óptica y a la fotónica. Hay muchas cosas en investigación y desarrollo por resolver y muchas más que irán apareciendo.

MLC: Mirando hacia atrás en retrospectiva, después de tanto años de actividad profesional creo que, al menos tal y como lo contemplo ahora, ha sido muy importante tener profesores y mentores con los cuales he podido trabajar con mucho entusiasmo y sabiendo que tenía la suerte de trabajar con científicos que tenían grandes conocimientos y que, además, los sabían transmitir a sus pupilos. En ese sentido, hay que saber buscar las oportunidades para trabajar en temas y con profesores que nos puedan ayudar y tutorizar. Es muy difícil hacer una carrera como investigador en absoluto aislamiento, aunque la historia nos de algunos ejemplos muy excepcionales. Cuando se ha trabajado desde los comienzos con estas personas tan preparadas, a todos los niveles, se es consciente de la influencia que han dejado en nuestro modo de pensar, en nuestro modo de abordar nuevas líneas de investigación, entender también nuestras limitaciones. Entonces, la posibilidad de tener un mentor es clave para afrontar un futuro con más solidez y conocimientos de sus enseñanzas.

No es fácil dar consejos muy generales porque cada persona tiene sus propias circunstancias y cada una de nosotras ha intentado, en muchos momentos, salir adelante frente a las dificultades. La igualdad de género en la ciencia no está resuelta, aunque se hayan hecho muchos avances sociales nuestra sociedad sigue teniendo como modelo de científico a un hombre. Esto hace que cualquier iniciativa para hacer que esta situación cambie es muy digna de ser reconocida.

Como idea final sí que puedo animar a todas las jóvenes investigadoras a que nunca se paren y sigan siempre adelante con sus proyectos, aunque haya momentos de incertidumbre, si la ciencia es su verdadera vocación mi consejo es que tracen su propio camino y que su futuro sea como ellas lo han querido vislumbrar.

Febrero 2019 -

Entrevista a Andrea Blanco Redondo

Andrea Blanco Redondo

es Catedrática FPCE de Óptica y Fotónica en CREOL, la Facultad de Óptica y Fotónica de la Universidad de Florida Central. Su grupo se centra en conceptos novedosos sobre nanofotónica cuántica no lineal y topológica. Anteriormente, de 2019 a 2023, fue jefa de Investigación en Fotónica de Silicio en Nokia Bell Labs en Nueva Jersey, Estados Unidos, y de 2015 a 2019 fue profesora en la Escuela de Física de la Universidad de Sídney, Australia. De 2007 a 2015 fue investigadora en fotónica y gestora de proyectos en los departamentos Aeroespacial y Telecom del centro de investigación industrial Tecnalia en España. Obtuvo su Máster en Ingeniería de Telecomunicaciones por la Universidad de Valladolid (2007) y su Doctorado en Ingeniería por la Universidad del País Vasco (2014).

Es miembro de Optica y ex directora general de Optica. Ha recibido la distinción OSA Ambassador 2018, el premio Geoff Opat 2016 de la Australian Optical Society a la mejor investigadora australiana de carrera temprana, y uno de los dos premios Ada Byron 2014 a la mejor mujer tecnológica en España.

Entrevista realizada por Clara Benedí.

¿Podrías contarnos brevemente cuál es tu área de investigación?

Actualmente llevo varias líneas de investigación experimental en fotónica. Una parte de estas está relacionada con crear circuitos que permitan la propagación de estados cuánticos de forma robusta a imperfecciones de fabricación o cambios medioambientales. Estos circuitos se basan en estructuras nanofotónicas periódicas con simetrías especiales que confieren a los circuitos propiedades topológicas, es decir, propiedades que son inmunes a pequeños cambios e imperfecciones. Estos circuitos podrían en un futuro tener impacto en la escalabilidad de los ordenadores cuánticos. Por otro lado, también me dedico a investigar un nuevo tipo de pulso de luz que no se dispersa, que contiene mucha energía y mantiene su forma incluso después de largas distancias de propagación. Lo descubrí hace un par de años en mi laboratorio, y lo llamé pure-quartic soliton, dado que surge de la dispersión de cuarto orden. Ahora estamos intentando construir láseres que emitan este tipo de pulsos con duraciones ultracortas (10^{-15} s) y alta energía. Esperamos que este láser tenga impacto en campos como el procesado de materiales y la cirugía láser.

¿Qué te motivó a estudiar ciencia?

Sinceramente, no recuerdo ninguna epifanía que me hiciese tomar esa decisión. Fue algo natural, nunca me planteé siquiera estudiar una carrera de letras. Siempre me ha atraído el entender el mundo que nos rodea, por qué suceden las cosas. Y encuentro las explicaciones que provee la ciencia mucho más objetivas y satisfactorias que las que proveen otras disciplinas.

Actualmente trabajas en la Facultad de Física de la Universidad de Sídney, en Australia, ¿qué diferencias has observado entre el sistema científico español y el australiano? ¿Cuáles son los puntos fuertes y las carencias de cada uno de ellos?

Lo cierto es que son sistemas muy diferentes. Desde el punto de vista de la carrera de investigador, el sistema australiano es quizá más abierto, en el sentido de que cada posición y cada beca está abierta a cualquier investigador en cualquier parte del mundo. Mientras que quizá el sistema español, especialmente en las Universidades y con algunas excepciones, por supuesto, se nutre más de la propia cantera.

Por otro lado, en Australia hay una progresión muy clara después del doctorado: la mayoría de los investigadores pasan entre 3 y 6 años de postdoc, luego consiguen su propia beca que les permite llevar a cabo investigación independiente durante otros 3 o 4 años, y después intentan conseguir una posición permanente en la que se requiere docencia. Las ventajas de este sistema es que permite centrarse en la investigación en lugar de en la docencia durante unos cuantos años después del doctorado. La desventaja es que, si no se tiene éxito en conseguir una beca propia, es muy difícil continuar en el sistema.

En cuestión de inversión en investigación, ninguno de los países está para tirar cohetes. Australia invierte un 1,88% de su PIB mientras que España invierte el 1,2%.

¿Cómo crees que hubiera sido tu carrera científica de haberte quedado en España?

Seguramente habría seguido dedicándome a la investigación en un centro tecnológico, haciendo cosas más aplicadas de las que hago ahora. Lo cual también habría sido interesante.

Si volvieras a la casilla de salida, ¿qué harías diferente?

Nada. Estoy muy contenta de las decisiones profesionales que he ido tomando.

¿Y alguna vez has pensado en abandonar la carrera científica?

¡Sí, casi todos los días! Pero nunca, demasiado en serio. La carrera científica es dura e inestable, pero para mí es muy satisfactoria.

¿Qué crees que tu papel como OSA Ambassador ha aportado a la situación de las mujeres en ciencia?

No creo que una sola persona pueda cambiar mucho a este respecto, la verdad. Yo he puesto mi granito de arena, intentando sacar a colación en los foros adecuados los problemas que dificultan la carrera de las mujeres en la ciencia e intentando convencer a chicas jóvenes de que tienen su lugar en la ciencia.

¿Alguna vez has experimentado situaciones de machismo o micromachismo?

Por supuesto. Por ejemplo, algo que es muy frecuente entre los investigadores últimamente es dejar entender que, cuando una mujer consigue algo (una beca, una charla invitada, etc.), es porque se le está dando un trato de favor con respecto a los científicos hombres, porque se está intentando cerrar la brecha de género a marchas forzadas. Creo que es importante responder a este tipo de comentarios con elocuencia: nadie regala nada a las mujeres en la ciencia, al contrario, la gran mayoría de ellas lo han tenido y lo tienen más difícil que sus colegas masculinos.

¿Cómo crees que podemos fomentar el interés por las carreras STEM en chicas jóvenes?

En este tema hay muchas teorías. Mi opinión es que no hay que hacer nada diferente para fomentar el interés de las chicas por carreras de STEM que lo que se hace para fomentar el interés de los chicos. Lo que hay que hacer es darles las mismas oportunidades y fomentar su confianza desde que son pequeñas.

Marzo 2019 - **Entrevista a Laura Ares Santos *(LAS)* y Paloma López-Reyes *(PLR)***

Paloma López-Reyes *(PLR)*

es una investigadora especializada en el desarrollo de recubrimientos ópticos para el ultravioleta lejano (UVL: 100 < λ < 200 nm), especialmente para su aplicación en instrumentación espacial. Este rango ha sido muy poco explorado debido a las dificultades técnicas que conlleva el desarrollo de instrumentación en el UVL, por la fuerte absorción del aire y de los materiales en estas longitudes de onda.

Recientemente, obtuvo su doctorado con honores en Astrofísica por la Universidad Complutense de Madrid. Durante sus estudios, que fueron llevados a cabo en el grupo GOLD, el Grupo de Óptica de Láminas Delgadas, dentro del Instituto de Óptica del CSIC, realizó importantes avances en el desarrollo de espejos de banda estrecha para el UVL. Estos espejos se basan en combinaciones multicapa de fluoruros, diseñados para reflejar lo máximo posible en una banda espectral determinada. Los espejos diseñados durante su tesis volarán a bordo de un vuelo suborbital que tendrá implicaciones directas en el avance de uno de los grandes observatorios espaciales propuestos por NASA para la exploración galáctica y de exoplanetas, el Habitable Worlds Observatory.

Actualmente, la Dra. López-Reyes continúa su investigación en GOLD y colaborando con las mencionadas misiones, centrada en la optimización de multicapas diseñadas para reflejar en ~100 nm; para esta longitud de onda, nunca se han hecho imágenes de galaxias cercanas.

Laura Ares Santos *(LAS)*

(Villafrechós, Valladolid, 1994) se graduó en Física por la Universidad de Valladolid en 2016. Realizó el máster de Nuevas tecnologías electrónicas y fotónicas en la Universidad Complutense de Madrid y participó activamente en la asociación vallisoletana de divulgación científica Physics League durante 5 años. Realizó su tesis doctoral en óptica cuántica en el Departamento de Óptica de la Universidad Complutense bajo la supervisión del profesor Alfredo Luis. Actualmente, trabaja como Postdoc en información cuántica en la Universidad de Paderborn (Alemania).

Entrevista realizada por Verónica González.

Contadnos brevemente en qué consiste vuestra tesis.

LAS: Mi trabajo consiste en estudiar algunas propiedades de la luz, como son la coherencia y la no clasicidad, para optimizar la resolución en la detección de señales débiles. Al utilizar de forma adecuada dichas propiedades, se pueden alcanzar límites de resolución anteriormente considerados como infranqueables. Se trata de un estudio teórico, que une óptica, cuántica y metrología, y que surge del interés en detectar señales del orden de magnitud del propio ruido cuántico.

PLR: Estoy realizando mi tesis en GOLD (Grupo de Óptica de Láminas Delgadas). En el grupo realizamos recubrimientos ópticos en el Ultravioleta Extremo y Lejano para distintas finalidades, especialmente la instrumentación espacial. En concreto, ahora estamos colaborando en un proyecto para diseñar los filtros que llevará uno de los instrumentos de un futuro proyecto de NASA, el LUVOIR. Si el proyecto va bien, los filtros que haremos serán testados en un vuelo suborbital. La complejidad del proyecto es conseguir que los filtros sean óptimos en cuanto a propiedades ópticas, asegurando, además, que tengan calidad suficiente para volar al espacio.

¿Por qué os interesasteis en hacer un doctorado en óptica?

LAS: Siendo sincera, lo que me llevó al Departamento de Óptica de la universidad fue la mayor oferta de contratos predoctorales y de posibles salidas laborales posteriores. Sin embargo, al llegar me di cuenta de que hay una investigación muy variada en esta área (lamentablemente esto no siempre se valora lo suficiente durante la carrera).

La luz es el mejor laboratorio para estudiar las propiedades cuánticas de la naturaleza, así que cuando descubrí que tenía la posibilidad de trabajar en un tema que me apasionaba como la óptica cuántica, no tuve ninguna duda.

PLR: Realmente me fui dejando llevar. Yo hice un máster en astrofísica, en el que realicé unas prácticas de empresa en un laboratorio similar al que trabajo ahora, donde hacían recubrimientos también. Disfruté mucho las prácticas, y, aunque mi idea inicial era hacer la tesis en algo relacionado con cosmología, que me encantaba, al final encontré la oferta de GOLD, y la pedí. La verdad es que son campos muy distintos, pero nunca he tenido pegas a la hora de cambiar de camino, me gustan cosas muy variadas.

¿Os resultó muy difícil llegar a obtener una beca para realizar vuestro doctorado? ¿Consideráis que el número de becas ofertadas es suficiente?

LAS: En mi caso fue cuestión de estar en el momento adecuado en el lugar correcto. Mi entonces director de Trabajo Fin de Máster tenía un contrato predoctoral concedido para la siguiente convocatoria de Formación de Personal Investigador. De esto me enteré días después de la exposición del TFM y aún recuerdo mi reacción: "¿es una broma, Alfredo?". Ciertamente yo tuve mucha suerte, y con esto respondo a la segunda pregunta. En cuatro años de carrera y uno de máster nunca creí que fuera a conseguir un contrato predoctoral, por varios motivos. Primero, normalmente cada estudiante conoce lo que se investiga y las oportunidades que hay en su facultad (y a veces ni eso). En las universidades pequeñas es tremendamente difícil encontrar una beca. Después, llegas a una universidad más grande y hay una competencia brutal. ¿Cómo vas a conseguir un contrato si ves "diez" expedientes mejores que el tuyo sin mirar muy lejos? En mi opinión el número de becas ofertadas es por lo tanto insuficiente para cubrir la demanda de estudiantes que quieren empezar una carrera investigadora, y esta es una de las causas de que se pierdan muchas vocaciones científicas.

PLR: La verdad es que nunca había pensado que conseguiría una beca de este tipo, con la competencia que hay. Sin embargo, estuve durante todo el curso del máster interesándome en distintos grupos de investigación que me gustaban, mandé un montón de correos, hice entrevistas. En fin, me moví mucho. Por otro lado, creo que un factor esencial en estas cosas es la suerte, los contactos, el TFM que realices, etc. En ese sentido, tuve la suerte de que un amigo del máster me mandó la oferta, hice una visita al laboratorio, y aquí estoy. Y no, creo que hay mucha más gente que quiere iniciar la carrera investigadora que las becas ofertadas. Si yo no hubiera obtenido esta beca, después de tanto buscar, es muy probable que hubiese seguido otro camino totalmente diferente a la investigación.

¿Pensáis que las condiciones laborales de los investigadores predoctorales son buenas? ¿Qué opináis de realizar la tesis sin financiación?

LAS: Esta es otra de las causas de la pérdida de vocaciones, a mi entender. No sólo "no se viene a la ciencia a ganar dinero", sino que cualquier plan de vida queda pausado: no sabes dónde estarás en un par de años, ni en cinco, ni en seis, pero seguro que no será con un trabajo estable.

En cuanto a realizar la tesis sin financiación, creo que es una decisión (muy dura) que tiene que tomar cada persona. Si realmente quieres empezar una carrera investigadora y no consigues un contrato predoctoral tienes dos opciones, emigrar donde lo encuentres o entender esos años como una inversión. Es muy triste que vocaciones de ese calibre se vean forzadas a tomar esa decisión.

PLR: Hablando en mi nombre, yo vivo relativamente bien con las condiciones de la beca, pero porque nadie depende de mí, y aun así tengo que compartir piso, si no, en Madrid, imposible. Por otro lado, dejando a un lado el tema económico, lo que definitivamente no son buenas condiciones son las consecuencias que se derivan de la carrera investigadora: no saber qué va a ser de tu vida de aquí a un periodo de cinco años, no poder hacer planes de futuro porque no esperas tener ningún contrato fijo, y menos en tu país. En mi opinión, esas son las verdaderas trabas y principales causas de pérdida de motivación entre los jóvenes investigadores.

Lo de realizar la tesis sin financiación lo veo como un gesto muy valiente que tienes que tener muy claro cada día del doctorado. Yo no me lo planteaba como opción, porque me conozco y no tengo esa "fortaleza mental" de relativizar los problemas del día a día y pensar a largo plazo. Por otro lado, depende de las condiciones, hay mucha gente que hace la tesis una vez ha encontrado un trabajo estable, o tiene unos ciertos ahorros y quiere hacer un parón en su vida laboral para dedicarle unos años a algo que verdaderamente les gusta. Es una decisión muy personal, y respetable, por supuesto.

¿Qué os motivó para estudiar una carrera científica? ¿Os encontrasteis con barreras en vuestro entorno?

LAS: De hecho diría que lo que me motivó a estudiar una carrera científica fue mi entorno.

PLR: Creo que soy el ejemplo perfecto de la influencia del entorno. A mí me gustaban las cosas del espacio desde niña, recuerdo haber hecho una presentación sobre agujeros negros en 5º de primaria (supongo que más bien sería una sarta de bobadas, pero yo era feliz). Luego tuve unos años un poco malos en los que no quise saber nada de la Física (qué mala la adolescencia, aunque supongo que la manera que tuvieron de enseñarme tampoco ayudó). Tan malos fueron esos años que hasta me planteé no coger la optativa de Física en 2º de bachillerato, pero entonces un profesor me motivó a hacerlo y mira dónde he acabado. Le hizo tanta ilusión al profesor que me pidió que escribiese un artículo al respecto para la revista del colegio. Mi entorno más cercano (mi casa), siempre ha sido lo contrario a una barrera, ya que tengo una familia científica que siempre me ha apoyado y motivado muchísimo. Lo más parecido que pude tener a una barrera, aparte de yo misma, posiblemente fue la manera en la que me enseñaron física en la E.S.O.

Por suerte, de momento, gana la motivación.

¿Creéis que es necesario motivar a las niñas para que elijan carreras STEM?

LAS: No. Creo que es necesario motivar a cualquier persona a escoger la carrera por la que sienten mayor afinidad. Puede que sea consecuencia de no haber sufrido ninguna objeción relevante a mi elección, pero creo que, a día de hoy, las barreras a la hora de escoger una profesión dependen más de las circunstancias concretas de cada estudiante que del área de interés en relación con el género. Por poner un ejemplo, he escuchado más veces reproches del tipo "estudia una carrera de verdad" que "tú eso no, que eres chica/chico".

PLR: Sí, por supuesto. Estoy convencida de que el bajo porcentaje de mujeres en carreras STEM es un problema estructural y de género. A lo largo de los años este tipo de carreras y profesiones se han visto representadas por una figura masculina, inteligente y fuerte. Creo que muchas niñas no nacen sin amor por la ciencia, pero pierden seguridad por el camino. El papel de la sociedad debería ser, por lo menos, intentar igualar las condiciones bajo las cuales las niñas y los niños eligen carreras científicas.

Hay que acabar con los estereotipos, mostrando referentes femeninos (que los hay, y muy buenos) y eliminar la desconfianza existente hacia las matemáticas y la ciencia en general, empezando por las expectativas que tienen los padres y profesores de los niños y niñas desde que son pequeños.

Por otro lado, creo que estamos ante una tendencia positiva, al menos en España. Muchos colegios están muy implicados y el porcentaje de mujeres estudiando ciencias ha aumentado bastante. Sin embargo, el problema sigue presente, sobre todo en ingenierías y especialmente a la hora de acceder a puestos de responsabilidad, por lo que, por supuesto, hay que seguir trabajando en ello.

Aunque acabáis de empezar en la carrera investigadora, ¿habéis presenciado algún tipo de discriminación o micro machismo?

LAS: Afortunadamente, no. Lamentablemente, creo que lo haré. Por el simple hecho de que la comunidad científica no es perfecta y, como muestra de la sociedad, la estadística promete algún desencuentro futuro. Alguna compañera ya lo ha sufrido en algún congreso. A día de hoy, me siento muy cómoda en este aspecto. Me transmite mucha seguridad y optimismo ver a todas las investigadoras de alto nivel que hay en mi departamento, y que las buenas o malas relaciones entre compañeros son independientes de este aspecto.

Paloma: Desde que abrí los ojos con el feminismo, puedo afirmar que, afortunadamente, no. Antes de eso, no lo sé. Me sorprende la naturalidad con la que normalizaba y tenía comportamientos machistas hace tiempo (y probablemente, siga teniendo). En mi grupo, no sólo hay tantas mujeres como hombres, sino que además son unas investigadoras maravillosas que no han tenido ningún problema en compaginar la vida familiar y la investigación, así que agradezco la suerte que he tenido en ese sentido, porque soy muy consciente de que no tendría por qué ser así.

Además, es cierto que, al estar empezando la carrera investigadora, no he tenido ningún puesto de poder o importancia que haya tenido que "sobre-defender" más que un hombre, que es algo que pasa mucho...

Por otro lado, sí que he observado, por desgracia, comportamientos machistas hacia compañeras, por lo que, obviamente, sigue siendo un problema tremendo del que, desgraciadamente, no creo que me libre en el futuro.

Abril 2019 -
Entrevista a Elena Pinilla Cienfuegos

Valencia Nanophotonics Technology Center

Elena Pinilla Cienfuegos

es investigadora senior en el Centro de Tecnología Nanofotónica de Valencia (NTC) de la Universidad Politécnica de Valencia (UPV), en el que desarrolla su investigación con técnicas de microscopía avanzada para el desarrollo de dispositivos nanofotónicos integrados con nuevos nanomateriales. Licenciada en Ciencias Físicas por la Universidad Complutense de Madrid y doctora en Nanociencia y Nanotecnología por la Universitat de València, ha publicado diferentes artículos científicos en revistas de alto impacto en Ciencia de Materiales, Química o Física. Es subdirectora de la "Revista Española de Física", divulgadora científica y colaboradora activa en la iniciativa 11 de Febrero: "Día Internacional de la Mujer y la Niña en la Ciencia" para fomentar la visibilización de la Mujer en la Ciencia.

Entrevista realizada por María Viñas.

¿Podrías contarnos brevemente cuál es tu área de investigación?

Mi investigación actualmente se basa en la incorporación de nuevos nanomateriales en dispositivos nanofotónicos de silicio para mejorar sus prestaciones o darles funcionalidades nuevas. Tratamos de mejorar y complementar desarrollos de la nanofotónica integrada que es el área de la fotónica que intenta sustituir los electrones que circulan por los microchips de nuestros ordenadores o teléfonos móviles, por fotones y así pasar de tener circuitos electrónicos a circuitos fotónicos, mucho más eficientes y rápidos. El silicio, que es la base de toda la electrónica, es también capaz de guiar la luz pero tiene algunas limitaciones y éstas las podemos suplir dopándolo o combinándolo con otros materiales.

¿Cuál es tu proyecto preferido y por qué motivo?

Uno de los proyectos en los que estoy involucrada ahora mismo es en el desarrollo de un interruptor óptico de silicio en el que somos capaces (o eso pretendemos) de controlar el paso de la luz gracias a que podemos integrar nanomateriales con una propiedad llamada "transición de espín". Éste nuevo material molecular es capaz de cambiar sus propiedades ópticas a través de estímulos externos como la variación de temperatura o presión. Además, se puede preparar en forma de nanopartículas o capas muy finas, de unos pocos nanómetros, de manera que su integración en los circuitos es compatible con la tecnología estándar CMOS.

Estoy especialmente ilusionada con este proyecto porque es una colaboración con mi antiguo grupo de investigación, donde han desarrollado estos materiales para otras aplicaciones, y es una forma de dar continuidad a lo que investigué allí, con los nuevos dispositivos que diseñamos en el NTC. Es además un proyecto multidisciplinar pues combinamos un nanomaterial químico, con un circuito fotónico especialmente interesante para desarrollos de ingeniería de las telecomunicaciones, controlando las propiedades físicas del sistema. Mis compañeras y compañeros del equipo de investigación son excepcionales y espero que el trabajo dé sus frutos próximamente.

¿Qué te motivó a estudiar una carrera científica?

Desde pequeña siempre tuve la curiosidad de saber cómo estaban hechas las cosas, así que abría todo para mirar por dentro (alguna cosa rompí, de paso). Enseguida me di cuenta que no solo me gustaba ver sino entender cómo funcionaban, tuve claro pronto que estudiaría alguna carrera científica. Con el tiempo la física fue lo que más me llamó la atención porque me parecía además un reto. Ahora me doy cuenta de que precisamente, ese era (y es) uno de los estereotipos de la física.

¿Cuáles han sido tus modelos a seguir en Ciencia? ¿Mentores/Mentoras?

Mis modelos siempre han sido gente cercana. He admirado a grandes científicos sí, y con el tiempo a grandes científicas también (antes sólo conocíamos a Marie Curie), pero en realidad mis padres y profesores/ras primero, y luego las personas con las que me he formado en mi carrera científica, han influido mucho más en qué tipo de científica me gustaría ser.

Por otro lado, he tenido la suerte de tener mentores que no solo me han formado, sino que me han ayudado y han creído en mí. Creo que la figura de mentor/a se debería fomentar más en nuestro país.

¿Cómo ha sido tu experiencia haciendo una TED talk? ¿Ha sido complicado hacer llegar al público general los entresijos de la Nanofotónica?

Estoy muy contenta de haberlo vivido y he aprendido mucho. Las charlas TED (o TEDx, en mi caso) son unos eventos conocidos en el mundo entero por su calidad y repercusión mediática, y para mantener esa calidad son exigentes. Aun teniendo experiencia en divulgación, el formato TED es diferente y ha supuesto mucho trabajo, tanto para la preparación del contenido de la charla como la manera de explicarla, pero he de decir que ha sido una experiencia maravillosa y la recomiendo a todo el mundo. Ahora que la charla está colgada en YouTube veremos si le gusta y le llega a la gente, ¡cruzo los dedos!

Estás bastante implicada en iniciativas por la igualdad de género en Ciencia (GEMF, AMIT y la iniciativa 11 de Febrero), ¿Cómo crees que podemos fomentar el interés por las carreras STEM en chicas jóvenes?

Todo lo que puedo, sí. Creo que es muy importante la labor que estamos haciendo de mostrar referentes femeninos de mujeres en ciencia que ha habido a lo largo de la historia y que no aparecen en los libros de texto, por ejemplo. Pero también mostrar a los niños y niñas referentes reales y actuales, que no necesariamente tenemos que ser genios y ganar premios Nobel, sino que ser científico/a es una profesión que puede ejercer cualquier persona a la que le guste la ciencia.

Una de las actividades más importante de la iniciativa 11 de Febrero es justamente implicar/animar a los centros educativos a organizar actividades en torno a la presencia de la mujer en la ciencia y a concertar charlas con mujeres científicas. Creo que la mejor manera de animar a una niña a estudiar una carrera STEM es que vea que hay mujeres cercanas que hacen ciencia o investigación y que ella puede hacerlo también en el futuro, si quiere.

Durante la carrera científica, una de las fases más críticas es la etapa postdoctoral, en la que las diferencias entre hombre y mujeres se hacen más insalvables y la famosa gráfica tijera se hace más pronunciada. Se habla siempre de problemas asociados a la maternidad, pero hay muchos otros asociados a sesgos de género y precariedad laboral ¿cuáles serían, en tu opinión, las medidas más eficaces para solucionar este claro desequilibrio?

Sabemos que hay muchos más problemas que la maternidad sí, por ejemplo, los sesgos (conscientes o inconscientes) a la hora de evaluar candidaturas para proyectos o cargos de investigadoras o la -baja- percepción que tenemos de nosotras mismas a la hora de aceptar puestos de responsabilidad.

Existe un análisis exhaustivo de la desigualdad de género en investigación en nuestro país en el último informe de "Científicas en Cifras 2017", que pone de manifiesto todos estos problemas. En general, creo que las iniciativas que se proponen en este informe para intentar cerrar la brecha de género podrían ser eficaces, pero también me parece muy importante la sensibilización de todo el personal investigador de que este problema existe y que es necesaria una lucha de todos y todas para conseguir paliarlo. No vale solamente con que tengamos un plan de igualdad en nuestro centro o universidad, necesitamos que de verdad todos nuestros compañeros/as, responsables y evaluadores, crean que es un problema y haya voluntad de resolverlo.

Mayo 2019 -
Entrevista a María Ángeles Burgos

María Ángeles Burgos

Graduada en Física, me doctoré en el Grupo de Óptica Atmosférica de la Universidad de Valladolid en 2017, estudiando las propiedades físicas de los aerosoles desérticos. Continúe mi recorrido en academia trabajando 4 años como postdoc en la Universidad de Estocolmo, estudiando las propiedades higroscópicas de los aerosoles y validando modelos globales de cambio climático. Mi siguiente paso fue el salto a la empresa privada, donde he aplicado mis habilidades técnicas y científicas para desarrollar proyectos de ciencia de datos tanto en España, trabajando en la optimización de procesos portuarios, como en Suecia, en el área de análisis de transacciones bancarias. Además del trabajo, considero importante tener un equilibrio con mi vida personal e intento priorizar el ejercicio físico, mantener mis relaciones sociales pasando tiempo con amigos y familia, y dar valor y espacio a las experiencias y momentos que me hacen feliz.

Entrevista realizada por Verónica González.

Cuéntanos brevemente en qué consiste tu investigación.

Investigo en la rama de física atmosférica y en mi proyecto estudiamos los aerosoles: partículas sólidas o líquidas en suspensión en la atmósfera. La interacción entre aerosoles, nubes y radiación solar es a día de hoy el mayor factor de incertidumbre a la hora de hacer proyecciones de cambio climático. En concreto, yo estudio como varían las propiedades ópticas de los aerosoles según la humedad relativa que haya en la atmósfera. Hemos creado una base de datos de la higroscopicidad de los aerosoles, la base de datos es de dominio abierto y puede ser utilizada por cualquier científico que lo desee. Las principales aplicaciones de mi trabajo son mejorar los modelos globales climáticos o validar datos de satélite, entre otras.

¿Qué te llevó a interesarte por la óptica atmosférica?

Después de estudiar la carrera de física me especialicé en teledetección y quería hacer el doctorado en alguna área relacionada con física de la tierra y medioambiente. La oportunidad surgió con el Grupo de Óptica Atmosférica (GOA) de la Universidad de Valladolid y la consideré la mejor opción en aquel momento, así empezó todo.

¿Qué está suponiendo para ti esta etapa postdoctoral? ¿Existen muchas diferencias con respecto a España?

Creo que es una etapa muy gratificante si das con un buen grupo. A nivel profesional aprendes mucho en relación a tu investigación, además, atiendes a conferencias y puedes crear tu propia red de contactos, viajas a otros países, conoces otros estudiantes, investigadores... Profesionalmente es muy intensa e interesante. Estando en un grupo diferente al de tu doctorado ves y tienes la experiencia de presenciar otras formas de trabajar, de investigar, de llevar el día a día, etc.

Según mi experiencia, y en cuanto a la etapa postdoctoral, la principal diferencia que he encontrado con España ha sido la facilidad de financiación para hacer actividades como viajar a conferencias, atender a cursos de formación, entre otras. También ha sido más fácil conseguir financiación para los dos últimos años después de los dos primeros años de postdoc. En España presencié la situación de compañeros que tenían condiciones precarias ya en etapa postdoctoral. Los contratos tardaban en llegar (cuando llegaban) y a veces había periodos en los que no tenían un salario. Y claro, como es un camino tan competitivo y digamos que "trabajas para ti y para tu CV", si querían seguir en este camino tenían que seguir a pie de cañón (si podían permitírselo).

Te planteas volver a España para continuar con tu carrera científica o continuarás en el extranjero? ¿Te has planteado en algún momento abandonar la carrera científica?

No tendría ningún problema en volver a España, pero con cierta estabilidad y buenas condiciones. A mí me gusta vivir en el extranjero, hoy en día vivir en alguna de las capitales de Europa lo considero casi como "vivir en otra comunidad de España" en términos de facilidades de visitar a la familia, facilidad de movimiento, papeleos o cambio de divisa. Tampoco es que todos mis esfuerzos se centren en volver, si salen buenas oportunidades fuera, estaría abierta a ellas como lo estaría si salen en España.

Sí que me planteo abandonar la carrera científica. Considero que la carrera científica no ofrece condiciones competitivas o atractivas a nivel de salario y estabilidad. Por ejemplo, durante el postdoc sólo tienes un contrato de uno o dos años, seguramente tengas que mudarte e irte al extranjero, luego no sabes dónde te tendrás que mudar (¡de nuevo!). Todo es incertidumbre y encima esa incertidumbre no está bien remunerada. Por supuesto es bonito viajar y tener experiencias, pero siempre tiene que haber un compromiso entre eso, cierta estabilidad y nivel de salario ya que las mudanzas y cambios de país son costosos en términos de tiempo, dinero y desgaste personal. Además, después de investigar por 2 o 4 años, las probabilidades de obtener una plaza como profesor son muy limitadas, tanto en España como en el extranjero. Digamos que de todo esto te vas dando cuenta según tienes la experiencia, al principio te tiras a la piscina sin pensar mucho, y poco a poco vas viendo las ventajas y desventajas. Por mucho que te aconsejen o digan antes, con la experiencia de uno no siempre aprende el otro.

¿Qué soluciones propondrías ante la baja proporción de mujeres que ocupan cargos de responsabilidad, ya sea en la academia o en la empresa privada?

Según tengo entendido, la proporción de mujeres y la de hombres es más o menos pareja hoy en día hasta que llega la etapa de la maternidad. O sea, la maternidad es uno de los puntos clave.

Creo que es importante mejorar las condiciones de conciliación familiar, además vivo en el país paradigmático de la conciliación. En Suecia, tanto el padre como la madre tienen alrededor de un año de baja parental cada uno. Además, los 90 días son no transferibles. Al principio puedes pensar ¡pues yo no quiero perder un año! Pero es que lo tienen todo pensado ya: puedes dividirte tu parte de baja hasta que tu hijo tiene 8 años y además puedes decidir trabajar al 20, 40, 60 u 80% , puedes trabajar menos horas al día, o trabajar 3 días por semana...o hacer tantas combinaciones como se te ocurran. De esta forma, la maternidad no penaliza a la mujer. Además, según mi experiencia, la sociedad entera está muy mentalizada y entre sus valores está el entender y apoyar la conciliación y a "los nuevos padres". En mi caso, la jefa de departamento estuvo un año de baja maternal y las dos personas sucesivas digamos, en la jerarquía, se hicieron cargo de sus tareas. A parte de las medidas que se puedan llevar a cabo, la filosofía de la sociedad me parece muy importante.

Creo que las medidas de discriminación positiva pueden ser necesarias hoy en día y hasta que la situación se normalice, pero a mi parecer, deberíamos aspirar a eliminarlas cuanto antes y además, las de conciliación me parecen más efectivas a largo plazo.

¿Consideras necesario fomentar las vocaciones científicas en las niñas y jóvenes?

¡Por supuesto! Creo que la cultura en la que se rodean los niños y las niñas y los roles que aprendemos y enseñamos tanto en el ámbito familiar como de la sociedad en su conjunto son importantísimos y juegan un papel fundamental para un cambio a largo plazo duradero y efectivo. Creo que deberíamos empezar a llamar a nuestras niñas científicas, físicas, químicas, biólogas, ingenieras que sepan que cualquiera que se lo proponga lo puede conseguir. Esa es la mejor medida que podemos tomar.

¿Te has encontrado con alguna situación en la que te hayan hecho de menos por ser mujer, y además joven?

En el ámbito académico, por suerte, nunca he experimentado ningún tipo de discriminación ni por ser mujer ni por ser joven. Desde mis estudios, pasando por mis contratos en la Universidad de Valencia, de Valladolid, de Berlín o de Suecia, nunca he experimentado discriminación ni por parte de mis jefes y jefas ni de mis colegas. ¡Espero que mi caso sea la norma en un futuro cercano!

Junio 2019 -
Entrevista a Carmen Vázquez García

Carmen Vázquez García

es Catedrática de Tecnología Electrónica de la Universidad Carlos III de Madrid (UC3M) y co-directora del Grupo de Displays y Aplicaciones Fotónicas. Dirige el Máster en Ingeniería de Sistemas Electrónicos y Aplicaciones y el Máster Interuniversitario en Ingeniería Fotónica.

Se licenció en CC Físicas en 1991 en la Universidad Complutense de Madrid, en la especialidad de Electrónica y se doctoró en 1995, en el Departamento de Fotónica de la Escuela Técnica Superior de Ingenieros de Telecomunicación de la Universidad Politécnica de Madrid, obteniendo el Premio Extraordinario de Doctorado. Trabajó en la División de Optoelectrónica de Telefónica Investigación y Desarrollo de 1992 a 1995 durante el desarrollo de su tesis doctoral con una beca FPI, en proyectos de diseño, y caracterización de dispositivos de óptica integrada en fosfuro de indio (InP). Actualmente lidera la participación de UC3M en el proyecto BlueSpace.

Sus investigaciones se centran en óptica integrada, comunicaciones ópticas e instrumentación. En concreto, en la alimentación de dispositivos a través de fibra óptica utilizando luz (power over fiber), con fibras ópticas de plástico, en redes de acceso de banda ancha, 5G y en técnicas de monitorización, con sensores de fibra óptica, filtros, conmutadores, dispositivos de óptica integrada en InP y en silicio.

Entrevista realizada por María Viñas y Ricardo Vergaz Benito.

¿Podrías contarnos brevemente cuál es tu área de investigación?

Trabajo con luz, desarrollando aplicaciones en el campo de la instrumentación y las comunicaciones ópticas. Desde el diseño de dispositivos basados en fibras ópticas de sílice, poliméricas, monomodo, multimodo, multinúcleo, microestructuradas. Todas las variantes posibles según la aplicación de interés y combinando tecnologías como cristales líquidos o circuitos fotónicos integrados en fosfuro de indio en el pasado y más recientemente en silicio.

Nuestras aplicaciones se desarrollan en campos como la bioingeniería, las comunicaciones, el sector energético. Cuando se necesita integramos sistemas utilizando la electrónica como elemento vehicular para controlar nuestros dispositivos y proporcionar diferentes funcionalidades. Algunas temáticas en las que estamos poniendo un especial interés en estos momentos son la pirometría con fibra óptica para aplicaciones en mecanizado industrial y vulcanología, la alimentación remota utilizando luz (*Power over fiber*) en redes de sensores y en comunicaciones móviles o el desarrollo de sistemas para la monitorización de constantes vitales basados en *speckle* en fibra.

¿Cuál es tu proyecto preferido y por qué motivo?

De los que tengo activos ahora mismo BlueSPACE, se trata de proponer nuevas tecnologías e infraestructuras que permitan el desarrollo de las futuras redes móviles 5G. En concreto estamos desarrollando un *fronthaul* óptico a partir de fibras multinúcleo para llevar a las antenas remotas una gran cantidad de datos y además poder alimentar de forma remota algunas de sus funciones utilizando luz.

Ello permite que los operadores puedan tener un sistema de *back-up* paralelo sin depender de los operadores energéticos sobre todo en infraestructuras más críticas. La fibra se despliega para dar soporte de comunicaciones de banda ancha y una vez allí parte de los núcleos pueden llevar también energía, e incluso permitir una gestión inteligente alimentando unas baterías que permitan siempre una autonomía a funciones críticas pues existen limitaciones en la potencia máxima que se puede transmitir y gestionar. Se puede además optimizar el consumo alimentando sólo las antenas cuando se utilizan, a diferencia de ahora que prácticamente siempre están encendidas: la fotónica al servicio de un mundo más sostenible. Participan 15 socios, mayoritariamente empresas, lo cual aporta otra visión a nuestro trabajo.

En esta misma línea pero orientado a mejorar la eficiencia e integrar nuestros sistemas con nuevas células solares acabamos de arrancar un proyecto sinérgico en colaboración con el Instituto de Energía Solar, TEFLON (TElealimentación FotovoLtaica por fibra Óptica para medida y coNtrol en entornos extremos).

¿Qué te motivó a estudiar una carrera científica?

Siempre me ha gustado entender el por qué de las cosas y la objetividad que se puede encontrar en el entorno científico, al menos aparentemente. Además, tenía la percepción de que la Literatura y el Arte eran dimensiones que también me atraían pero que podría desarrollar yo más fácilmente por mi cuenta. Quizás ahora lo pienso y creo que fui un poco ingenua…

Además, tuve un profesor de Físicas en BUP (soy ya algo mayor) que me demostró que podía ser un reto muy divertido y siempre me han gustado los retos. Otro ingrediente determinante es que siempre tuve la impresión de que me podría ganar la vida con ello y una cosa tenía muy clara, quería ser independiente económicamente. Y además, puedes ser creativa a través de la investigación: escribir artículos y que te paguen por ello. Supongo que este conjunto de aspectos dieron lugar a un cóctel que me llevó a marcar la casilla de Físicas tras la selectividad y luego a estudiar un doctorado.

¿Cuáles han sido tus modelos a seguir en Ciencia? ¿Mentores/Mentoras?

Me hubiera encantado tener una mentora, pero la realidad es que durante la carrera, mayoritariamente tuve profesores, y en Dinamarca en las dos empresas en las que trabajé también fueron hombres mis compañeros de viaje. Mi estancia allí fue determinante para darme cuenta de que quería investigar en aplicaciones de la luz. Se acababa de descubrir el amplificador óptico y yo estaba caracterizando un amplificador de fibra dopada con erbio en los laboratorios de NKT. A mi vuelta decidí buscar un grupo donde poder seguir trabajando con esa tecnología. Acabé en la Escuela Técnica Superior de Ingenieros de Telecomunicación de UPM, a la vuelta de la Facultad en la que había estudiado, preguntando despacho por despacho acerca de las líneas de investigación que llevaban y si alguno trabajaba con fibras ópticas y amplificadores ópticos, y apareció mi primer mentor, mi director de tesis, un joven profesor titular y yo su primera tesis. Me enseñó el rigor de investigar y la importancia de contrastar tus resultados con tus pares a través de publicaciones científicas. Me permitió ser independiente y firmar como primera autora mi primera publicación, no fui consciente hasta más tarde de la importancia de ese gesto. Me abrió las puertas para desarrollar mi tesis en los laboratorios de Telefónica I+D, donde estaba mi otro director de tesis, nuevamente un hombre. En este caso me transmitió la pasión por el trabajo bien hecho y la importancia de trabajar en equipo. Luego me fui abriendo camino en la universidad, tuve que trabajar duro, incluso a veces muy duro pues tuve que ser mi propia guía en múltiples ocasiones, con el apoyo de compañeros jóvenes como yo. Y nuevamente un hombre, me ofreció la oportunidad de colaborar con uno de los centros de referencia internacional en mi campo el Instituto Tecnológico de Massachusetts (MIT) diseñando dispositivos fotónicos integrados de escala nanométrica para controlar el movimiento de la información en los procesadores futuros; integrando fotones y electrones en un mismo substrato, seleccionando lo mejor de cada mundo. Sí me gustaría mencionar aquí mi primer encuentro con Prof. María Yzuel que supo transmitirme la importancia de resaltar el papel de la mujer en el campo de la óptica.

Pero, tras 7 direcciones de tesis, todavía no he tenido la suerte de poder ser la directora de tesis de una mujer. No lo busco, quizás tenga que cambiar esto, pues tengo ganas. Si bien mi máxima es buscar el talento allá donde se encuentre, sin poner restricciones de ningún tipo y sobre todo buscar a gente a la que les apasione el proyecto que se les propone, siempre han sido hombres los que han respondido. Recientemente se ha incorporado a mi grupo de colabores más directos una mujer y por ahora la experiencia ha sido bastante positiva.

Si bien es cierto que en mis labores de gestión y en mi participación en múltiples comisiones, también me he encontrado con mujeres excelentes. Tengo grandes compañeras que me hacen ver día a día que tenemos un gran potencial que sólo ha empezado a visibilizarse recientemente.

¿Cómo crees que podemos fomentar el interés por las carreras STEM en chicas jóvenes? ¿Te parece que tienen impacto las iniciativas por la igualdad de género en Ciencia como la del #11F Día de la mujer y la niña en la Ciencia?

Creo que es difícil. Es fundamental que se transmita un mensaje claro de que las jóvenes están perfectamente capacitadas para desarrollar su actividad profesional a partir de carreras STEM. Sí considero fundamental que conozcan de cerca posibles referentes, que se apoye con modelos en el hogar, en las series de televisión. Por ejemplo, la serie *Big Bang Theory* creo que ha ayudado a potenciar las vocaciones de científicos, la nota de corte en Físicas está experimentando un crecimiento importante lo cual me produce una gran satisfacción pero al mismo tiempo, el rol que desempeñan las mujeres es bastante desigual, sí se destaca la parte científica en el entorno biomédico, pero en cuanto a física e ingeniería todos los modelos que aparecen son masculinos. Es por ello que todas las iniciativas en esa línea son positivas.

Es importante que se ponga en valor el potencial que tienen las carreras STEM en el avance de la sociedad, a nosotras nos gusta saber que vamos a poder aportar más allá de nuestras propias carreras personales.

Durante la carrera científica, una de las fases más críticas en la etapa postdoctoral, en la que las diferencias entre hombre y mujeres se hacen más insalvables y la famosa gráfica tijera se hace más pronunciada. Se habla siempre de problemas asociados a la maternidad, pero hay muchos otros asociados a sesgos de género y precariedad laboral ¿cuáles serían, en tu opinión, las medidas más eficaces para solucionar este claro desequilibrio?

Creo que el hecho de que cada vez haya más mujeres en los órganos de decisión puede ayudar a que no exista ese sesgo tan marcado que indicas. Que se promuevan medidas que ayuden a la conciliación profesional y familiar también sería un factor positivo. Y sobre todo que sepamos hacer a los hombres cómplices de buscar soluciones, no podemos dejarlos al margen.

¿Cómo ves la situación de la investigación en Óptica en España? ¿Cuál ha sido el impacto de los recortes en Ciencia en estos últimos años?

Si te parece respondo englobando óptica, fotónica, optoelectrónica dentro del mismo paraguas para dar cabida a las respuestas que indico a continuación. Actualmente puedo decir que hay grandes profesionales en óptica en España, contamos con algunos investigadores muy citados. También hay centros que han recibido la calificación de Centros de Excelencia Severo Ochoa, varios investigadores poseen financiación vía *starting*, *consolidator* y *advance ERC grants*. Se lideran múltiples proyectos europeos y visibilidad internacional. Hay mucho talento que ha podido sobrevivir a los recortes, si bien es cierto que los mismos han frenado las posibilidades de desarrollo de muchos otros investigadores de forma que el futuro se puede ver comprometido. Hacen falta políticas públicas que ayuden a potenciar la investigación en este campo y que permitan consolidar la carrera de investigadores brillantes ya sea en el entorno académico o profesional pues ello ayudará a marcar la diferencia en la sociedad española del futuro. Cada vez más nuestros profesionales e investigadores se marchan fuera de nuestras fronteras lo cual está bien siempre y cuando en algún momento se produzca un retorno y para ello hace falta inversión.

¿Cuándo decidiste que querías estudiar una carrera de ciencias? ¿Encontraste oposición en tu entorno cercano?

Ya lo he comentado antes creo, las razones para estudiar una carrera de ciencias. En cuanto al tema de la oposición en el entorno cercano sólo puedo decir que agradezco sobre manera el apoyo que siempre he tenido en cuanto a mis decisiones en mi entorno familiar, aunque muchas veces no fueran compartidas. Mi padre no comprendía por qué quería ir a la facultad y estudiar una carrera que nunca entendió, aún recuerdo cómo me animaba a que me preparase para ser peluquera y me dejase de locuras.

Si bien, reflexionando sobre la ausencia de mentoras mujeres en mi etapa inicial tengo que decir que mi madre sí fue una guía continua. Ella no tuvo la oportunidad de ir a la universidad y ha dedicado su vida a educar a 5 hijas y 1 hijo, no tenía independencia económica aunque siempre llevó las cuentas en casa. Ella nos enseñó a todas sus hijas, sin poner palabras específicas para ello, lo importante que era leer y educarse y tener una profesión y ser independiente. No dudó ni un instante en hacer todo lo posible para que sus hijas fueran a la universidad. Y su marido, mi padre, la dejó hacer.

¿Tienes la sensación de haber tenido que trabajar más que tus compañeros para lograr un reconocimiento similar?

Bueno, no tengo claro si estas son las palabras adecuadas, puedo asegurar que he trabajado muy duro. Que en ocasiones han sido piedras y no un camino hecho lo que me he ido encontrando. A modo de ejemplo, una frase que nunca olvidaré y que quizás pueda ser ilustrativa me la dijeron hace ya algún tiempo cuando iniciaba mi andadura tras defender mi tesis “Eres física en una escuela de ingeniería y encima mujer…” Ahora prefiero reír cuando lo recuerdo pues sinceramente lo importante es disfrutar con lo que haces y esa pasión siempre te abrirá puertas, al menos en mi caso ha sido así.

Julio 20219 -

Entrevista a Esther Rebollar González

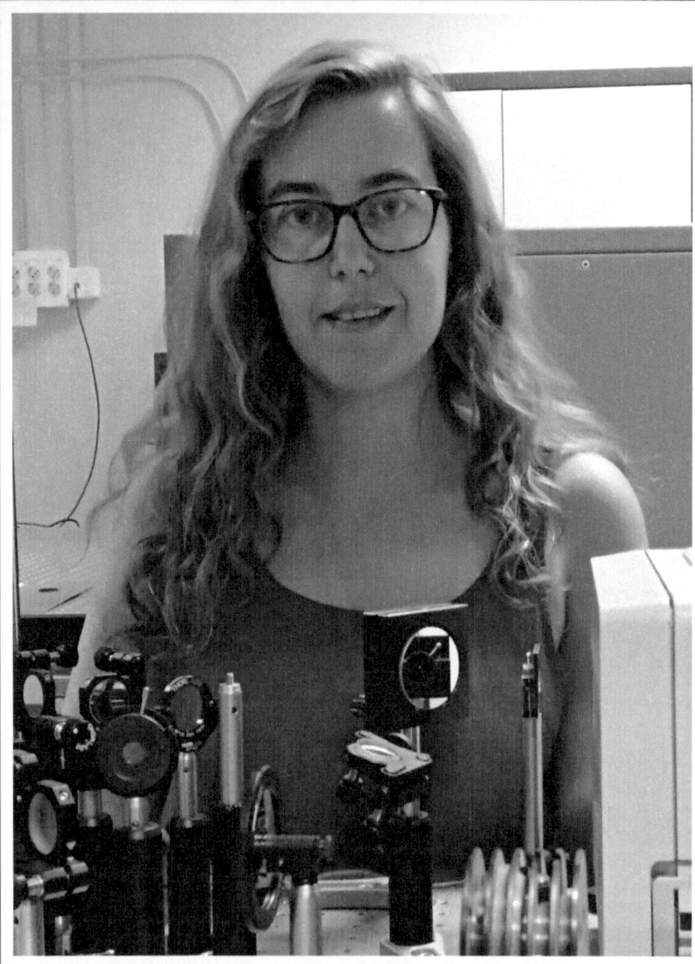

Esther Rebollar González

es científica titular en el Instituto de Química Física Blas Cabrera del CSIC. Obtuvo el doctorado en Universidad Complutense de Madrid en el año 2006 y tras una etapa postdoctoral en el Instituto de Física Aplicada de la Universidad Johannes Kepler de Linz (Austria) y en la Universidad de Vigo, se incorporó al CSIC primero con un contrato Juan de la Cierva y posteriormente un contrato Ramón y Cajal, hasta la obtención de su plaza permanente.

Ha realizado distintas estancias en el Institute of Electronic Structure and Laser, FoRTH (Grecia), en el 3Bs research group Biomaterials, Biodegradables and Biomimetics, de la Universidad de Minho (Portugal) y en la universidad de Kassel (Alemania).

Su principal línea de investigación se centra en la interacción láser-materia, especialmente con materiales poliméricos, con el fin de comprender los mecanismos subyacentes, optimizar procesos clave, y controlar las propiedades de los materiales tales como la mojabilidad, la energía superficial, o la conductividad eléctrica, entre otras.

Su trabajo ha dado lugar a más de cien artículos en revistas JCR y varios capítulos de libros, y es co-inventora de dos patentes. Además, ha dirigido cinco tesis doctorales, y varios trabajos de fin de máster y fin de grado.

Asimismo, está involucrada en diversas actividades de divulgación científica, a través del grupo de teatro TeatrIEM y la participación en proyectos para acercar la ciencia a un público más amplio, desde festivales hasta actividades para estudiantes de primaria y secundaria.

Entrevistada por Clara Benedí.

¿Podrías hablarnos brevemente de tu investigación?

Mi investigación se centra en el empleo de técnicas láser para el micro- y nano-estructurado de materia blanda con el fin de no solo cambiar su estructura, sino sus propiedades superficiales como adhesión, mojabilidad y energía superficial. Mi investigación comenzó con un enfoque de tipo fundamental, con el fin de entender los mecanismos involucrados en la interacción láser-materia y la dependencia de los mismos con las propiedades de los materiales, y a partir de mi etapa postdoctoral me he ido interesando también, y cada vez más, en las posibles aplicaciones de estos materiales, sin perder de vista la parte más fundamental. En los últimos años me he centrado en el estudio de polímeros funcionales, semiconductores o ferroeléctricos, que pueden encontrar aplicaciones en el campo de la electrónica y fotovoltaica.

¿Qué te animó a atreverte con la carrera investigadora? ¿Tuviste algún referente durante tu etapa formativa?

Me han gustado las ciencias desde que era pequeña, desde que recuerdo. De hecho, me encantaban las matemáticas y los números, y resolver problemas, y cuanto más difíciles y más reto plantearan, más me motivaban y no paraba hasta dar con la solución. Después en la carrera me encantaba el trabajo de laboratorio y en el último año hice el proyecto de fin de carrera, que por aquel entonces era voluntario, y la profesora que me lo dirigió fue la que me animó a solicitar una beca para hacer la tesis doctoral en el CSIC, así que lo hice, y he continuado hasta hoy investigando.

En cuanto a referentes, a todas nos puede venir a la cabeza una científica como Marie Curie, pero debo decir que mis referencias o modelos a seguir han sido siempre más cercanas, personas que han despertado mi interés o que me han ayudado y apoyado.

¿Qué diferencias encuentras en la situación de la ciencia en España con respecto a Austria, donde estuviste en tu etapa postdoctoral?

Bueno, hay una fundamental, que es la que tiene que ver con el apoyo económico. Una buena financiación es básica para que los investigadores puedan realizar su trabajo sin limitaciones y con los recursos e instrumentación necesarios. Solamente hay que ver el gasto que se dedica a la investigación, que en % del PIB es casi tres veces más en Austria que el que se dedica en España. Los sueldos además también son más altos, lo que obviamente también es importante porque esto es un trabajo por mucho que a veces se quiera disfrazar de vocación para justificar las malas condiciones que en ocasiones hay que soportar.

Pero además, hay otra diferencia que está más relacionada con la sociedad y es que allí la ciencia está más valorada, hacer el doctorado es algo que está reconocido y valorado por la gente. A mi me llamó la atención el hecho de que tu título de doctor aparece en tu documentación, en tu tarjeta de crédito, en todo. Aquí muchas veces la gente ni siquiera entiende que hagas la tesis, o se preguntan para qué vale o para qué te esfuerzas tanto. También es verdad que el hecho de hacer el doctorado allí te abre otras puertas y hay gente que lo hace como una formación más para después pasarse a la industria de una manera natural. Aquí creo que la transición academia-industria no está aún tan asentada.

Creo que ambos factores (el económico y el social) están relacionados y es el pez que se muerde la cola. Es necesario que se reconozca que la ciencia es necesaria e imprescindible para avanzar, que la inversión que se haga en ciencia revierte en la sociedad, pero también que los frutos no se recogen de un día para otro, sino que debe ser una inversión continuada en el tiempo. Los políticos en España no le dan importancia a la ciencia, pero eso no tiene ninguna consecuencia porque no acaba de calar del todo en la sociedad el mensaje de que la ciencia es futuro.

¿Alguna vez te has planteado abandonar la carrera científica? ¿Qué te hizo retractarte?

¡Muchas veces! Hay muchos momentos frustrantes, cada una de las etapas de la carrera científica conlleva mucho esfuerzo, mucho sacrificio y, sobre todo, mucha incertidumbre. Es una carrera muy dura e inestable y creo que es fácil que en algún momento se piense en tirar la toalla, pero imagino que la decisión de continuar al final está basada en la satisfacción que produce hacer lo que te gusta, y la libertad que también supone este trabajo, en el que diseñas experimentos, intentas resolver problemas, buscar soluciones, interpretaciones… La ciencia en realidad es también un proceso creativo.

¿Alguna vez te has sentido en desventaja por ser mujer?

A nivel personal nunca me he sentido en desventaja por ser mujer. Es verdad que alguna vez me he sentido incomoda en algunos momentos con ciertos comentarios o que en algunos congresos o reuniones he visto cómo había sesiones enteras en las que los ponentes eran todos hombres, comités en los que todos eran hombres, cosas que te dan rabia y pena a partes iguales y que sin duda hay que cambiar, pero en el desarrollo de mi carrera nunca me he sentido perjudicada o de menos por el hecho de ser mujer.

¿Qué iniciativas se te ocurren para fomentar las vocaciones científicas en chicas?

Creo que es muy importante, como se está haciendo cada vez más, dar visibilidad a las mujeres científicas, a las que ha dejado la historia y que sin duda han sido tratadas injustamente o no han recibido el reconocimiento que merecían, pero también a las científicas de hoy en día, que hay muchas y muy buenas. Sin duda es necesario hacer esto visible y denunciar la falta de representación de mujeres en premios, comités, cargos de responsabilidad, etc. Me parece que ese mensaje se está haciendo oír y está llegando a la sociedad. Pero para de verdad fomentar las vocaciones científicas en las chicas lo que creo que hay que hacer es normalizar el hecho de que cualquier persona puede dedicarse a la ciencia, sea hombre o mujer.

Por eso es importante que este mensaje lo tengan interiorizado desde edades tempranas, que las científicas participemos en charlas o actividades en colegios, con niños y jóvenes para que vean que es lo más normal del mundo que una mujer sea investigadora. De esa manera las chicas no se cuestionarán en absoluto a la hora de dedicarse a la ciencia si es lo que ellas quieren.

Octubre 2019 -
Entrevista a María Carmen Torquemada Vico

Neptuno

María Carmen Torquemada Vico

nació el 3 de diciembre de 1966 en Madrid, España.

Licenciada en Ciencias Físicas, especialidad en Física de Materiales, en 1990 por la Universidad Complutense de Madrid.

En 1994 obtuvo su doctorado en Ciencias Físicas por la Universidad Complutense de Madrid con un trabajo relacionado con la física de superficies y la reactividad de gases en superficies en condiciones de ultra alto vacío. Este trabajo se desarrolló en el Instituto de Ciencia de Materiales (Consejo Superior de Investigaciones Científicas, CSIC).

De 1966 a 2015 fue investigadora científica en el Centro de Investigación y Desarrollo de la Armada (CIDA-ITM) en Madrid. Su trabajo principal se centró en el I+D+i de sensores inteligentes de seleniuro de plomo policristalino (PbSe) operando en el rango del infrarrojo medio, de 3 a 5 micras, participando en proyectos con tecnología dual, de aplicación tanto en Defensa y Seguridad como en el ámbito civil.

En 2015 se incorporó al Departamento de Óptica Espacial del Instituto Nacional de Técnica Aeroespacial (INTA). Sus principales tareas están relacionadas con el desarrollo de instrumentación espacial y caracterización de materiales. Sus campos de interés incluyen sensores inteligentes, radiación de terahercios, óptica de infrarrojo lejano, espectrómetro, rejillas de difracción, recubrimiento óptico, nanopartículas, ciencia de superficies, microscopía electrónica de barrido, microscopía de fuerza atómica y microanálisis de rayos X.

Entrevista realizada por Paloma López.

Ahora mismo trabajas en el Departamento de Cargas Útiles y Ciencias del Espacio en el Instituto Nacional de Técnica Aeroespacial (INTA), ¿En qué consiste tu investigación allí?

En este momento mi trabajo principal se centra en el desarrollo de instrumentación para aplicaciones espaciales.

En mi puesto anterior estuve trabajando en el desarrollo de sensores de radiación que eran capaces de operar a temperatura ambiente en un rango de longitud de onda de 3 a 5 micras, es decir el infrarrojo medio. Actualmente, mi trabajo también está centrado en la zona infrarroja del espectro electromagnético, esta vez en el rango del infrarrojo lejano, de 50 a 80 micras.

Para la próxima misión de clase M de la Agencia Espacial Europea compiten tres misiones, una de las candidatas es SPICA (SPace IR telescope for Cosmology and Astrophysics), un telescopio espacial que trabaja en el infrarrojo y que se utilizará para realizar estudios del espacio profundo. Uno de los instrumentos que lo componen es SAFARI (SPICA Far-IR Instrument), que es, básicamente, un espectrómetro para leer la radiación procedente del espacio. El corazón de este instrumento es un conjunto de cuatro redes de difracción, cada una dispersando radiación en un rango de longitudes de onda distinto. Por el momento, estamos estudiando la viabilidad de fabricar y caracterizar una red de difracción para el rango de 50 a 80 micras (en frecuencias 3,4 y 5,6 terahercios). Esto no es fácil puesto que las pequeñas dimensiones de la geometría de la red implican la utilización de técnicas de nanolitografía en 3D, y de nanograbado, lo que lo convierte en un importante reto tecnológico. A la vez hay que disponer de los medios para poder caracterizar esta red en estas longitudes de onda. La aparición reciente de fuentes de radiación en THz basadas en láseres de cascada cuántica, lo hacen posible, pero la necesidad de comprobar que el sistema funciona en las condiciones en las que trabajará en el espacio, esto es, en condiciones criogénicas, le da un punto más de complejidad.

¿Cuándo decidiste que querías estudiar una carrera de ciencias? ¿Encontraste oposición en tu entorno cercano?

Durante la EGB y hasta COU, tuve la suerte de tener como profesor de Física y Matemáticas a un físico (Don Isidoro) que consiguió que las materias fueran atractivas y fáciles de estudiar y entender. Cuando una asignatura te gusta es más fácil que pienses en dedicarte a ello. Es fundamental la labor de los docentes a la hora de crear vocaciones. En mi clase hubo una alta inclinación hacia carreras de ciencias y cuatro chicas comenzamos la carrera de Ciencias Físicas.

Mi entorno cercano me apoyó en mi decisión de estudiar. Provengo de una familia numerosa y en un entorno humilde; afortunadamente había una política de becas que me hicieron posible poder acceder a la universidad y que ello supusiera un orgullo para mis padres. En todo momento tuve su apoyo tanto durante la carrera, como cuando tuve la oportunidad de conseguir una beca FPI para hacer el doctorado.

Anteriormente has trabajado en el Ministerio de Defensa y también en el CSIC, ¿cuáles son las principales diferencias que has observado entre estos dos mundos (académico/militar)?

En el CSIC se trabaja esencialmente haciendo investigación básica que es fundamental para el desarrollo de la ciencia y de cualquier país. La producción científica se mide en base a los artículos que publiques y su impacto en la comunidad científica, la calidad de la revista o las citas que hagan otros investigadores a tu trabajo.

En el Ministerio de Defensa la investigación básica queda en segundo plano y se tiende más a hacer desarrollos tecnológicos que puedan dar un servicio más a corto plazo. Los trabajos para Defensa suelen ser tecnología de uso dual, con aplicaciones tanto en defensa y seguridad como en el sector civil. A lo largo de los veinte años que trabajé en el CIDA, un centro de investigación de Defensa, hubo épocas en los que la política por parte de la dirección del centro era de no publicar los resultados, con lo que se realizaban informes de uso interno; en otras épocas sí se pudieron hacer publicaciones. Se puede decir que el trabajo es más de tecnólogo que de científico.

Otra diferencia fundamental es la presupuestaria. El CSIC de mi época no tenía mucha financiación dedicada a instalaciones o reparaciones, aunque el programa de "Acciones Integradas" permitía hacer viajes y estancias en otros centros de investigación europeos y asistir a congresos. En el CIDA, sin embargo, se contaba con bastantes medios económicos para comprar equipamiento, lo que permitió tener un laboratorio muy bien equipado, aparte de poder contratar durante años a un gran número de personas. En contrapartida, no se tenía contacto con otros grupos de investigación extranjeros.

El ámbito de la defensa es un mundo bastante masculinizado, en el INTA las mujeres representan un 31,7% del total de científicos e investigadores que

trabajan para este organismo público, ¿Qué motivos crees que hay detrás de esta cifra?¿Se podrían mejorar las medidas de igualdad en lugares como este?

En el INTA hay un elevado número de ingenieros y la edad media de la plantilla es bastante elevada. Teniendo en cuenta que en algunas carreras técnicas el porcentaje actual de mujeres no llega al 15 % y que hace años ese porcentaje era mucho menor, no es de extrañar que el porcentaje de mujeres científicas en el INTA sea bajo.

Pienso que los planes de igualdad que se implementan en los centros, aunque necesarios, no son un elemento clave para la mejora en igualdad. Creo que la concienciación colectiva de la sociedad que se está llevando a cabo gracias a los medios de comunicación y los colectivos feministas, es más efectivo, sobre todo pensando a largo plazo. La sociedad avanza en conjunto y a un ritmo cada vez mayor. No tiene nada que ver la educación machista en la que yo me vi inmersa, que la educación en la que se mueven las nuevas generaciones, en las que diariamente se reciben estímulos encaminados a la igualdad.

¿Alguna vez has sentido que has tenido que trabajar más que los hombres de tu entorno para obtener un reconocimiento similar?

En mi trabajo diario no he tenido esa sensación, aunque es verdad que nunca he buscado en el trabajo más que disfrutar realizándolo. Lo cierto es que me sentí muy frustrada cuando, tras mi doctorado, estando en proceso de búsqueda de empleo, fui rechazada de forma poco elegante por un ingeniero en la universidad: "estás en una edad muy mala, que a todas os da por lo mismo", en referencia a una posible futura maternidad.

En cuanto a mi experiencia trabajando en un centro de Defensa con personal militar al mando, no siempre es fácil obtener reconocimiento, menos siendo civil y mujer. He conocido mujeres con reputación científica reconocida que fueron invitadas a no asistir a pruebas de tiro para probar los sensores desarrollados por nuestro grupo, simplemente porque "da mala suerte que vaya una mujer... "

¿Consideras necesario fomentar las vocaciones científicas en las niñas y jóvenes?¿Se te ocurre alguna iniciativa para esto?

Creo que es fundamental fomentar estas vocaciones sin importar el sexo, desde pequeños. Desde luego, hay que desempolvar todas las contribuciones femeninas tanto en la ciencia como en otros ámbitos, que han estado silenciadas durante años, para que las jóvenes puedan admirar también a mujeres que sean su referente. El que jóvenes investigadoras dediquen parte de sus esfuerzos en hacer divulgación científica en colegios e institutos es una labor que promoverá que surjan nuevas vocaciones en el futuro.

Noviembre 2019 -
Entrevista a Ana Alonso Serrano

Ana Alonso Serrano

es Licenciada en Físicas por la Universidad Complutense de Madrid y posteriormente realizó su doctorado en el CSIC, en el Instituto de Física Fundamental. Después comenzaron sus andaduras postdoctorales: primero en la Victoria University of Wellington en Nueva Zelanda, después en la Charles University de Praga y a día de hoy está en el Max Planck Insitute for Gravitational Physics en Potsdam, Alemania.

Entrevista realizada por Francesca Gallazzi.

¿Podrías contarnos brevemente cuál es tu área de investigación?

Mi área de investigación general es la física teórica. Más específicamente trabajo en temas de gravedad y fenómenos cuánticos. Por decirte algo más concreto, he trabajado por ejemplo en el problema de la información en agujeros negros, en modelos de cosmología cuántica, multiverso y agujeros de gusano.

¿De dónde nace tu vocación científica? ¿Es importante tener mentores/as?

En mi caso, la vocación científica nace de una inmensa curiosidad y necesidad por entender las cosas y por saber un poquito más. En cualquier caso también creo que a veces existe mucho el mito de la vocación y hay científicos muy buenos que no tienen por qué ser vocacionales. Al final es una forma de ganarse la vida y quizás ponemos demasiada presión en la vocación y eso lleva a que la gente se cuestione su valía.

Sí que me parece importante tener mentores, y ha sido hace poco, ya estando en Alemania, cuando he empezado a conocer los programas de mentores y cómo se valoran. No sé si será algo tan extendido en otros países, pero sí que en todos lados muchas veces este papel lo juegan los propios supervisores. A veces es difícil tener perspectiva de cómo debes enfocar tu carrera, en qué debes centrarte o qué decisiones tomar. En esos casos, el poder consultar a alguien de tu campo con experiencia puede ser muy útil. Aunque creo que también hay que relativizar sus opiniones ya que al final la decisión es completamente personal.

Has trabajado en lugares muy diferentes. ¿Has notado alguna diferencia? ¿Te atreverías a hacer una clasificación o depende mucho del aspecto que se considere? ¿Te gustaría volver a trabajar en España?

Cada uno de los lugares en los que he estado ha sido completamente diferente al anterior, no sólo por el país, también por el centro de investigación y cómo está organizado, la gente que trabaja allí en ese momento, etc. ¡Pero es que sería imposible y terrible que no hubiese diferencias!

No me gusta hacer clasificaciones porque de cada lugar puedo destacar algún aspecto, pero no establecer una jerarquía, y menos absoluta es complicado. Algunos sitios tenían una burocracia más sencilla, otros grupos muy cohesionados, otros muy activos, etc. ¡Hay tantos aspectos que podría considerar!

De cara al futuro, creo que sí me gustaría volver a trabajar a España, aunque no a cualquier precio. No es nada fácil conseguir una plaza ni hay mucha inversión en ciencia. Tengo la esperanza de que esto mejore porque ahora parece que hay una tendencia positiva, ¡y tenemos muy buenos científicos como para perder su ciencia!

Women in Science: ¿crees que hay que fomentar vocaciones científicas femeninas? Qué acciones te parecen más eficaces para este propósito?

¡Por supuesto que sí! Todavía arrastramos en buena parte la idea de que no es un campo o una profesión para mujeres y es algo que tenemos que cambiar a todos los niveles. Con esto me refiero a que hay que trabajar en los colegios, en los institutos y también en la universidad. Me parece que es una tarea compleja y que no sabremos si es eficaz hasta pasado un tiempo. Creo que es muy interesante el trabajo que se está haciendo de visibilidad de científicas, y cada vez se organizan más actividades, tanto en los propios centros de investigación como en centros educativos. El año pasado me invitaron a participar con una charla en el día de la mujer y la niña en ciencia en el CIEMAT de Madrid. Me quedé alucinada con el interés que tenían muchas de las chicas y la iniciativa que tenían. Pero también tienen muchas dudas y ahí es donde tenemos que entrar nosotras.

En tu campo de estudio las mujeres son claramente una minoría. ¿Te has sentido discriminada (o aventajada) en algún momento por ser mujer?

Tengo la suerte de no haber tenido ningún problema de estos en mis centros de trabajo. Hay un sector muy concienciado y abierto de mente para escuchar los problemas de las minorías (no sólo de mujeres). Sin embargo, todavía existe un sector que es completamente negacionista y estructuralmente el sistema tiene mucho que cambiar. En ese sentido sí me he encontrado con trabas y con comentarios y actitudes de colegas que reflejan todo el camino que nos queda por recorrer. También me preocupa mucho que haya gente que considere que por el hecho de que ahora se estén intentando tomar algunas medidas en contra de la discriminación histórica que hemos sufrido, signifique que tenemos ventajas. ¡Nada más lejos de la realidad!

¿Qué piensas de la divulgación científica? ¿Crees que sea importante para formar una conciencia científica en la ciudadanía?

Desde hace bastantes años dedico una parte de mi tiempo a la divulgación científica. No sólo porque me encanta y me lo paso genial. Pienso que es muy importante el intercambio con el resto de la sociedad. Por nuestro lado, es interesante lo que aprendemos con ello y también una forma de hacer un cierto retorno de la inversión pública en nuestra investigación. Por el otro lado, creo que nosotr@s podemos contribuir a fomentar un pensamiento crítico y una cultura científica también en la gente que no está relacionada para nada con estas disciplinas. Esto a día de hoy, con tanto bombardeo de "información" de todo tipo, creo que es una herramienta muy útil para poder analizar lo que nos llega.

Has estado hace poco en el Lindau Nobel Laureate Meeting. ¿Qué impresión da la ciencia vista desde allí? ¿Aconsejarías la experiencia a otras jóvenes investigadoras? ¿Nos explicas brevemente qué hay que hacer para participar?

¡El Lindau Nobel Laureate Meeting fue una experiencia única! La recomiendo sin duda alguna. Es un espacio de encuentro y debate, no sólo con los premios Nobel sino con un montón de jóvenes científicos de distintas áreas. Una semana muy muy intensa en la que aprendí muchísimo, pero además que nos permitió coger una perspectiva nueva y más amplia sobre la investigación en física.

Para participar tienes que solicitarlo a través de su web o, como en mi caso, que te nomine una institución. En ambos casos tienes que pasar un proceso de selección del comité y luego ellos se encargan de todo (viaje, alojamiento, comidas, actividades, etc.). Tengo que decir que la buena organización y la implicación local en el evento también me sorprendió muchísimo.

A veces hay campos de investigación que parecen no tener nada en común. ¿Tus estudios tienen o pueden tener alguna conexión con la óptica? ¿Pueden tener

aplicaciones en óptica o, al revés, la óptica es importante para observar ciertos fenómenos? ***(estoy pensando por ejemplo en óptica cuántica o estructuras como el LIGO)***

Al final la investigación es más interdisciplinar de lo que la gente piensa y es muy raro que tengas un campo completamente aislado. En mi investigación he utilizado alguna vez técnicas de óptica cuántica. ¡Y a nivel observacional ya ni os cuento la relación que hay!

Diciembre 2019 - **Entrevista a Marta Macho Stadler**

Marta Macho Stadler

es profesora de la Universidad del País Vasco (UPV/EHU) y doctora en Matemáticas por la Universidad Claude Bernard de Lyon (Francia). Es especialista en topología.

Es editora del blog Mujeres con ciencia de la Cátedra de Cultura Científica de la UPV/EHU.

En 2015 se le concedió una de las Medallas de la Real Sociedad Matemática Española en su primera edición, «por su labor de divulgación de las matemáticas, por su compromiso con la igualdad y por tender puentes entre los profesores de matemáticas de diferentes niveles educativos».

En 2016 se le concedió el Premio Emakunde «por su trayectoria científica orientada a divulgar y promover el acercamiento de la matemática y del conocimiento científico a las mujeres, así como por hacer visible y reivindicar a las mujeres científicas y sus aportaciones tanto a la Academia como al progreso social».

En 2019 recibió el nombramiento de Ilustre de Bilbao «por su labor como divulgadora científica y por visibilizar el papel de las mujeres en la ciencia».

En 2023 ha recibido el Premio de Divulgación Fundación Lilly 2023 «por su labor en el apoyo, visibilidad e impulso de las mujeres científicas, así como su trayectoria investigadora y su extensa labor de divulgación». También se le ha concedido el Premio Mujeres Científicas (Divulgación) de la revista Muy Interesante.

Entrevista realizada por Martina Delgado.

Marta, eres profesora del departamento de matemáticas de la UPV/EHU, y te dedicas a la geometría y topología. ¿Cómo explicarías a las no expertas en esa área en qué consiste tu trabajo? ¿En qué otros campos encuentra su aplicación?

Mi área de conocimiento es la geometría y topología (así se denomina), pero mi actividad se desarrolla en topología. La topología es la rama de las matemáticas que estudia propiedades cualitativas de espacios. A veces se alude a ella como la 'geometría de la plastilina'. ¿Por qué? Porque en topología, dos objetos son equivalentes si se puede pasar de uno a otro sin romper ni pegar nada que no lo estuviera previamente. En topología no son importantes tamaños o formas. Por ejemplo, un balón de rugby y uno de baloncesto son topológicamente equivalentes: aunque uno es un elipsoide y el otro una esfera (que poseen propiedades geométricas distintas, tienen diferentes curvaturas) poseen la cualidad común de ser superficies que 'envuelven' un volumen 'vacío'. Del mismo modo, un balón de fútbol y una pelota de pingpong son topológicamente equivalentes ya que, aunque difieren sus tamaños, comparten la misma cualidad que hemos citado antes para un balón de rugby.

Se suele decir a veces que las personas que nos dedicamos a la topología no distinguimos entre la taza y la rosquilla. Precisamente volviendo al concepto de 'geometría de la plastilina', es posible deformar (sin romper ni pegar nada que previamente no lo estuviera) una taza en una rosquilla. ¡Son topológicamente indistinguibles! La cualidad que las define es que ambas poseen un asa.

La topología está presente en muchas ramas de las matemáticas y de la ciencia. Por citar algún ejemplo, en biología se estudia la estructura topológica del ADN (se utiliza la denominada teoría de nudos); la topología molecular es una parte de la química matemática que describe y caracteriza de manera algebraica los compuestos químicos; en el estudio de la forma del Universo la topología juega un papel esencial; el Premio Nobel de Física 2016 fue concedido David J. Thouless, F. Duncan M. Haldane y J. Michael Kosterlitz «por los descubrimientos teóricos de las transiciones de fase topológica y fases topológicas de la materia»; en física de la materia condensada los denominados "defectos topológicos" ocasionan cambios de estado (son ejemplos de estos defectos las dislocaciones mixtas de los cristales líquidos, los tubos de flujo magnético en superconductores, los vórtices en superfluidos, etc.).

Llevas veinte años (¡que sepamos!) siendo divulgadora, además de investigadora. Ahora, la divulgación está en boga, pero antes no era tan habitual que un investigador o investigadora dedicara parte de su tiempo a ello. ¿Cómo te iniciaste en la divulgación? ¿En qué has notado que haya cambiado (si lo ha hecho) la percepción que sociedad e investigadores tienen de esta actividad?

Me estrené aproximadamente en 1995 cuando un colega (Raúl Ibáñez) empezó a organizar una serie de seminarios informales para el alumnado de su asignatura de geometría de la licenciatura de matemáticas. Dos años más tarde, esta actividad se transformó en un ciclo de conferencias que pasó a llamarse Un paseo por la geometría; durante 15 años se mantuvo en nuestra facultad. Era una actividad humilde y entusiasta que nos ayudó a conocer a muchas personas que hacían una divulgación voluntarista, hermosa, poco valorada, pero desde el corazón. Nos movíamos para dar conferencias en centros escolares, universidades y centros sociales. Aunque nos valoraban poco (incluso nos criticaban) era realmente emocionante transmitir las matemáticas de maneras diversas. En 2000 empecé mis colaboraciones escritas con DivulgaMAT en las secciones de "Literatura y matemáticas" y "Teatro y matemáticas". Me apasiona el mestizaje y mostrar las matemáticas a través de la literatura –aparentemente dos mundos antagónicos– siempre ha sido un reto y una manera de unir dos de mis grandes pasiones –las matemáticas y la literatura–.

Desde esos comienzos modestos, las cosas han cambiado bastante. Un colega calificaba la situación actual de la divulgación como de "pérdida de la inocencia". Y estoy bastante de acuerdo. Observo muchas personas que hacen divulgación porque les gusta, porque creen que es una de nuestras obligaciones… pero también observo la irrupción de muchas otras personas que divulgan "sin corazón". Ahora la divulgación vende, se valora, hay personas que quieren vivir de ella (y eso no está mal, por supuesto). Pero a veces observo falta de pasión, demasiada competitividad y eso me desasosiega.

Creo que la sociedad valora la divulgación científica. La gente quiere comprender, tiene ganas de aprender. Solo hay que lanzar mensajes adaptados al público receptor, sin tecnicismos, con humildad. No se trata de adoctrinar, se trata de explicar de manera comprensible a personas no expertas. Si conoces bien tu tema, creo que es posible hacerlo.

Por otro lado, hay personas en la academia que piensan que es una distracción para lo realmente importante para ellas que es la investigación. Entiendo que no todo el mundo tiene que hacer lo mismo, no todo el mundo debe hacer divulgación. En mi opinión, para divulgar hay que saber comunicar bien, saber adaptarse al público que va a leer tus textos o escuchar tus conferencias,… y cualquier investigadora o investigador no posee estas cualidades. Entiendo que la transferencia de conocimiento a la sociedad es esencial. La ciencia estaría mucho más valorada si las personas ajenas a la academia entendieran que "se cuece" en los laboratorios y centros de investigación.

En tu actividad de divulgación, hay un aspecto que no es tan habitual en otros investigadores-divulgadores, como es el intento de aunar ciencia, matemáticas y arte, hablando de la presencia de las matemáticas en obras artísticas. Por ejemplo, en el caso del teatro, eres la coordinadora de la sección "Teatro y matemáticas" de DivulgaMAT. Cuéntanos un poco de esta actividad, en qué consiste, y qué te animó a sacarla adelante.

Sí, como decía antes, me gusta el mestizaje. Aunque las matemáticas me han gustado desde siempre, la lectura ha sido también una de mis grandes pasiones. Me gustaba la lengua, muchísimo. Los análisis gramaticales de textos me resultaban divertidos y me ayudaban realmente a leer de manera más reflexiva. Siempre he pensado que el conocimiento es híbrido. Todo está intercomunicado. Desde siempre me ha gustado hablar de matemáticas a través de la literatura –en cualquier formato: poesía, novela, tebeo, drama, etc.–. Las matemáticas, transversales a todo, están muy presentes en literatura. Leo, encuentro y me gusta contarlo. La mayor parte del teatro del que he hablado tiene personajes matemáticos como protagonistas. En otro tipo de formato literario, las matemáticas aparecen de manera explícita o en su estructura. Es maravilloso. Lo decía Ada Lovelace en una carta a su madre de manera realmente hermosa: No me concederás poesía filosófica. ¡Invierte el orden! ¿Me darás filosofía poética, ciencia poética?

Además, eres un referente para nosotras en lo que se refiere a la visibilización de mujeres científicas. En el blog de *Mujeres con ciencia*, hay más de 1300 entradas sobre ellas, las investigadoras. ¿Cómo surgió este proyecto? ¿Cómo ha cambiado desde sus inicios hasta ahora? ¿Puedes hablarnos de cómo gestionáis tú y tu equipo todo el trabajo que supone? ¿Qué planes tenéis para el futuro?

Fue una iniciativa de Juan Ignacio Pérez Iglesias, responsable de la Cátedra de Cultura Científica de la Universidad del País Vasco-Euskal Herriko Unibertsitatea. A finales de 2013 se puso en contacto conmigo para preguntarme si pensaba que podría haber contenidos suficientes para poner en marcha un blog sobre mujeres científicas. La Cátedra ya tenía tres blogs en marcha, uno en castellano y otro en euskera para público en general, y un tercero un poco más especializado en inglés. Además, quería preguntarme si quería ser la editora de ese posible espacio digital. Sin pensarlo, le dije inmediatamente que sí. Lo vi como una oportunidad de hablar de científicas desde la universidad, con el apoyo de la institución. Comenzamos a publicar en mayo de 2014. Empezamos con tranquilidad, despacio. Intentando conocer el medio. Dándonos a conocer en redes sociales sin prisas.

Las cosas han cambiado bastante desde 2014. Ahora Mujeres con ciencia vuela sola. Aunque las redes sociales nos dieron a conocer, en este momento la mayor parte de las lecturas provienen de entradas directas. Es decir, cuando se buscan nombres de científicas en Internet, Mujeres con ciencia es una de las primeras referencias que aparecen en castellano. El trabajo y los buenos contenidos nos han hecho un espacio de referencia.

El equipo es pequeño. Es cierto que varias personas redactan contenidos para el blog. En mi opinión, es la riqueza de Mujeres con ciencia: personas con formaciones diversas que escriben sobre científicas o mujeres que han aportado de alguna manera al avance de la ciencia. Son estilos diferentes y miradas dispares. No es un repositorio al uso, no es un listado de biografías. Es mucho más. En este momento, hay personas que nos piden publicar en el blog porque tienen una historia que contar y quieren que tenga repercusión. Eso es estupendo.

Con ayuda fundamentalmente mi compañera Uxune Martínez (responsable de difusión científica en la Unidad de Cultura Científica e Innovación de la Fundación Euskampus) gestionamos las redes. Respondemos a todos los mensajes, pero sin polemizar. Aquellos que buscan discusiones vacías no van a encontrar respuesta. Yo misma me encargo de la edición de contenidos, de buscar, de pedir... y de estudiar las muchas recomendaciones que recibimos.

Esperamos seguir publicando todo el tiempo que podamos. Nos hacen falta muchos referentes de mujeres. Tenemos que conocerlas y admirarlas. No debemos dejarnos engañar por la autocomplacencia. Falta mucho para alcanzar la igualdad real entre hombres y mujeres en todos los ámbitos. Y el ámbito de la ciencia no es ajeno a esta situación.

¿Has sido consciente, a lo largo de tu carrera profesional, de los sesgos y las trabas que se imponen a las mujeres? ¿Cuál es tu experiencia?

Sí, en el ámbito profesional se repiten sesgos y discriminaciones como en cualquier otro ámbito. El día a día funciona sin igualdad real, con discriminaciones sutiles a veces y en otras ocasiones obvias e incluso violentas.

En mi caso, mi área de conocimiento tiene un porcentaje pequeño de mujeres. Tuve males experiencias fundamentalmente en mis comienzos en investigación. Hice mi tesis en Francia, en la Universidad de Lyon que compartía intereses y seminarios con la elitista Escuela Normal. Las dinámicas de trabajo eran duras, excesivamente competitivas. No me gustaba la manera de trabajar. Era de las poquísimas mujeres trabajando en este mundo tan poco estimulante (desde mi punto de vista); me sentía sola, a veces tratada con paternalismo... Fue el momento en el que vi esas desigualdades que no había visto durante el "dulce momento" de la carrera. Y una vez que empiezas a observar con un poco más de cuidado tu entorno, las trabas hacia las mujeres se van haciendo cada vez más obvias...

En los últimos años, ha habido un gran auge en torno a la visibilización de mujeres investigadoras. Cada vez hay más grupos dedicados a ello, y parece que los propios investigadores e investigadoras son más conscientes de que es una actividad necesaria para eliminar la barrera de género. Sin embargo, también se oyen voces críticas sobre la necesidad o no de promover vocaciones científicas en niñas, o sobre las cuotas y otras medidas de discriminación "positiva" (yo prefiero llamarlas medidas compensatorias). ¿Cuál es tu opinión en torno a esto?

La visibilización de las científicas es esencial para tener referentes. Hay que conocer a las pioneras y a las que hoy en día hacen ciencia por justicia y porque esos modelos son necesarios para mujeres y para hombres. Hacerlas visibles es hacer posible que ganen ese espacio público que han tenido vetado durante tanto tiempo. Forman parte de una historia que nos han robado. Abundan las iniciativas que intentan hacer visibles a las científicas pero, como en el caso de la divulgación, hay mucho postureo que a veces distorsiona el mensaje.

Yo no hablaría de promover las vocaciones científicas entre las niñas. Creo que se trata de normalizar una situación singular: por pura lógica debería haber un equilibrio entre mujeres y hombres en la elección de sus profesiones. Mucha gente argumenta que las chicas no eligen determinadas salidas "porque no les gustan". Las acciones de visibilización buscan romper esta tendencia que no tiene nada que ver con gustos innatos sino con motivos culturales que se nos inculcan desde que nacemos. Es falso que las chicas elijan con libertad, como es falso que los chicos lo hagan. Hacer visibles a científicas ayuda a romper estereotipos, ayuda a que las mujeres conquisten el espacio público, ayuda a que las chicas tengan referentes cercanos, ayuda a que los chicos quieran parecerse a mujeres a las que admiran… Nadie pretende convencer a las chicas a que hagan una carrera científica "a la fuerza", ese discurso es engañoso y malintencionado. Proviene de personas que no quieren que las cosas cambien. ¿De qué tienen tanto miedo?

Estoy a favor de las cuotas, de acciones a favor de las mujeres. Hombres y mujeres no partimos del mismo punto. Hay cientos de estudios científicos que corroboran las discriminaciones sufridas por las mujeres en evaluaciones de diferente índole, en particular en el ámbito científico. Tiene que haber mujeres presentes en papeles relevantes en congresos científicos, en lugares en los que se decide, liderando proyectos. Y solo es posible conseguirlo ayudando a que suceda, no podemos seguir esperando.

Enero 2020 -
Entrevista a Meritxell Vilaseca

Meritxell Vilaseca

es catedrática en la Universitat Politècnica de Catalunya (UPC). Es doctora en Ingeniería Óptica (UPC, 2005) y directora científica del Centro de Desarrollo de Sensores, Instrumentación y Sistemas (CD6), centro que realiza investigación en el campo de la ingeniería óptica y fotónica. Su investigación abarca la tecnología del color, imagen multiespectral y óptica visual, que utiliza para aplicaciones biomédicas e industriales. Es autora de más de 70 publicaciones y coinventora de 9 patentes. Ha participado en congresos internacionales y nacionales (187 comunicaciones, 14 invitadas) y en 92 proyectos de investigación (29 como IP). Imparte docencia en el Máster de Fotónica (UPC-UB-UAB-ICFO), Grado de Óptica y Optometría (Facultad de Óptica y Optometría de Terrassa, FOOT) y Grado de Ingeniería Física (Escuela Técnica Superior de Ingeniería de Telecomunicación de Barcelona). Ha dirigido 10 tesis doctorales y más de 60 tesis de máster y grado.

Es miembro del Comité Técnico TC8 -07 de la 8a División de la CIE (International Commission on Illumination) "Multispectral Imaging", de la European Optical Society (EOS), de la Optical Society of America (OPTICA) y de la Society of Photo-Optical Instrumentation Engineers (SPIE). Ha sido secretaria académica de la FOOT (2016-22), presidenta del Comité de Color de SEDOPTICA (2020-22), editora asociada del Journal of Imaging Science and Technology (2010-17), coordinadora del 4th European Conference on Color in Graphics, Imaging and Vision (CGIV 2008) y del 10th International Symposium on Multispectral Color Science (MCS 2008) y presidenta del comité organizador del XIII Congreso Nacional del Color (CNC 2022).

Entrevista realizada por Amal Zaytouny.

¿Podrías contarnos brevemente cuál es tu área de investigación? ¿Tuviste algún referente o modelo a seguir en algún momento de tu etapa formativa?

Mi área de investigación es la ingeniería fotónica, concretamente en los campos de la tecnología de la imagen en color y multiespectral, óptica visual y biofotónica. Fundamentalmente, lo que hacemos en mi grupo de investigación del Centro de Desarrollo de Sensores, Instrumentación y Sistemas (CD6) de la Universidad Politécnica de Catalunya (UPC) es desarrollar nuevos instrumentos y sensores ópticos basados en estas tecnologías que sean útiles para aplicaciones industriales y médicas. Por ejemplo, para mejorar el control de calidad de productos en color manufacturados o para optimizar el reciclado de materiales en base a sus propiedades espectrales de absorción o fluorescencia. También para mejorar el diagnóstico de ciertas enfermedades de forma no invasiva como el cáncer de piel y, sobre todo, de patologías oculares. De hecho, tenemos mucha experiencia en el desarrollo de instrumentos, como los aberrómetros o los sistemas de doble-paso, que permiten comparar de forma objetiva los resultados a nivel óptico de diferentes procedimientos de cirugía refractiva (LASIK, PRK, etc.). También es destacable el último prototipo que hemos puesto a punto: un retinógrafo hiperespectral que tiene sensibilidad en el infrarrojo y permite observar capas profundas del fondo de ojo (como la coroides), que no se pueden observar con las cámaras de color convencionales que se usan actualmente en clínicas oftalmológicas. Esto permitirá que los oftalmólogos tengan más información del estado de la retina y puedan diagnosticar antes y mejor ciertas patologías.

¿Siempre te sentiste llamada por este ámbito? ¿Qué te llevó a hacer la carrera de Física tras acabar la diplomatura en Óptica y Optometría?

La física me gustaba mucho (tuve un profesor muy bueno en secundaria) aunque, como muchos jóvenes, tenía muchas dudas sobre qué carrera escoger y no una vocación concreta. Pero por motivos familiares, lo único que tenía claro es que quería estudiar una carrera corta y ponerme a trabajar cuanto antes. Así que acabé escogiendo Óptica y Óptometría porque me gustaba, pero también porque era una diplomatura de 3 años (una razón un poco práctica...). Cuando acabé, me di cuenta de que la parte que me había gustado más era la óptica, y no tanto la optometría clínica, por lo que decidí estudiar física (entonces no se podía optar a un doctorado a partir de una diplomatura, así que no quedaba otra opción que hacer una licenciatura). Estos estudios los compaginé con trabajos en establecimientos de óptica, así que me fue muy bien diplomarme antes para poder estudiar luego una carrera más larga con cierta independencia económica, aunque fue una época dura. Además, ahora con el tiempo tengo la sensación que hacer las dos carreras fue la decisión correcta (aunque muy larga y no a propósito), pues tengo siempre los dos puntos de vista: el físico, pero sin olvidar la óptica y optometría clínicas.

Sabemos que, entre otras cosas, compaginas tu actividad investigadora con la docencia en el ámbito universitario. ¿Crees que la diferencia que hay en el interés por las carreras científicas se hace palpable desde edades tempranas? ¿Cómo crees que podemos fomentar el interés por las carreras científicas en chicas jóvenes?

¡Sí! Me gusta mucho la docencia, la verdad. Hago clases de percepción visual, color e imagen multiespectral, óptica visual y fotónica biomédica en el Grado de Óptica y Optometría y el Máster de Optometría y Ciencias de la Visión, ambos impartidos por la Facultad de Óptica y Optometría de Terrassa (FOOT), en el Grado de Ingeniería Física y en el Máster de Fotónica, impartidos por la Escuela Técnica Superior de Ingeniería de Telecomunicación de Barcelona. Además, creo que si un docente hace investigación siempre puede transmitir muchas más cosas a los estudiantes, pues está al corriente de los últimos desarrollos y novedades. Lo del género se continúa notando, sobre todo en los estudios más técnicos como lo son la mayoría de ingenierías que se imparten en mi universidad, la UPC (a excepción del Grado de Óptica y Optometría que siempre tiene más éxito entre las mujeres). Las causas que hacen que las chicas jóvenes tengan menos interés por las carreras científicas y técnicas las desconozco, pero puedo imaginar que es algo en parte inherente al género y en gran medida, cultural. Así que creo que la única manera de fomentar el interés por las mismas es hacer realmente políticas de igualdad, cosa que parece que ya se está haciendo en los últimos años, al menos a nivel universitario. Por ejemplo, desde hace un año aproximadamente en la UPC, si estás en proceso de acreditación para obtener una plaza permanente de profesor y tienes un permiso de maternidad, ésta no computa y puedes alargar el plazo. Cuando yo era profesora lectora tuve a mis dos hijos y, desafortunadamente, no pude disfrutar de dicha ampliación. Así que vamos bien, tenemos que continuar en esta línea.

En vuestro grupo contáis con doctorandos e investigadores (hombres y mujeres) cuyo país de procedencia es muy diverso. ¿Has tenido constancia de diferencias en

la proporción entre hombres y mujeres? ¿Y en el papel de la mujer en la carrera científica según sea su país de origen?

Por supuesto, según el país de origen aún hay más diferencias entre esta proporción. Yo diría que la mayoría de doctorandos de fuera que han acabado investigando en el CD6 han sido hombres. Aunque, por suerte, esto no es así cuando la procedencia es de nuestro país. La ingeniería óptica es muy técnica y, como decíamos, aún hay una desviación de género y hay que seguir trabajando.

Actualmente diriges un grupo de investigación en el CD6. ¿Has sido testigo de algún tipo de discriminación o diferencia en el trato que se le da a hombres y mujeres que ocupan un cargo similar? ¿Tienes la sensación de haber tenido que trabajar más que tus compañeros para lograr un reconocimiento similar?

La verdad es que no he notado discriminación alguna por ser mujer. Solo en el caso de los permisos de maternidad, como he dicho antes, ya que cuando yo las hice no descontaban del tiempo de acreditación, por lo que tuve que hacer el mismo trabajo en mucho menos tiempo para poder acreditarme de profesora agregada. Esto es, en vez de 4 años tuve 3 años aproximadamente. ¡Y esto quiere decir trabajar mucho! Por suerte mi madre me inculcó la cultura del esfuerzo y me ayudó mucho con los niños. Y, además, la UPC ha articulado medidas para que ya no sea así. Este tipo de medidas también deberían aplicarse a otros contratos de investigación no docentes, puesto que en este caso aún hay mucha más incertidumbre y, a menudo, se trabaja con contratos de obra y servicio con cargo a proyectos a corto y medio plazo. Esto genera mucha inseguridad laboral y, si eres mujer, es más complicado compaginarlo con la planificación familiar. Así que, en el campo de la investigación en ciencias e ingenierías el desafío es doble: necesitamos gobiernos que apuesten por la investigación de verdad para poder mejorar los contratos y que fomenten las políticas de igualdad para poder avanzar como sociedad. Además, el hecho de que haya más mujeres en los órganos de decisión de las universidades y centros de investigación seguro que ayudará también a largo plazo.

¿Te has planteado en algún momento abandonar la carrera científica? Y si es así, ¿qué motivo te ha hecho retractarte?

Aunque ha sido un camino largo e incierto (antes de conseguir ser profesora estuve muchos años trabajando en diversos proyectos de investigación, lo que suponía no tener demasiada estabilidad laboral) no me lo he planteado nunca, porque me gusta mucho. He tenido suerte también de contar con compañeros de trabajo que me han apoyado y han apostado por mí en momentos clave, sobre todo mi director de tesis y mentor.

En base a tu experiencia, ¿Qué consejo le darías a una joven que busca iniciarse en una carrera investigadora?

Que, aunque es un camino largo y tedioso, si es lo que le gusta ¡que lo intente! La carrera investigadora es incierta y, muchas veces, no hay oportunidades de seguir la actividad académica después de un doctorado. Aun así, creo que te da una base de conocimientos muy sólidos que, seguro, se aprovecharan en la empresa privada.

Febrero 2020 -
Entrevista a Antigone Marino

Antigone Marino

es investigadora del Instituto de Ciencias Aplicadas y Sistemas Inteligentes (ISASI) del Consejo Nacional de Investigación de Italia (CNR).

Se graduó en Física en el año 2000 y se doctoró en Investigación en Nuevas Tecnologías en 2004, ambos títulos obtenidos en el Departamento de Físicas de la Universidad Federico II de Nápoles, Italia.

Su actividad investigadora se ha centrado en el estudio de la óptica de soft matter aplicada a las telecomunicaciones, con especial interés en las tecnologías de cristales líquidos. En los últimos años, su actividad investigadora se ha centrado en la elipsometría y la interacción optomecánica con luz estructurada.

Actualmente es Presidenta del IEEE Photonics Society Italy Chapter, miembro de la Junta Directiva de la Sociedad Italiana de Física (SIF) y miembro de la Junta Directiva de la Fundación OPTICA.

Es editora jefe de EuroPhysics News (EPN) y editora de Optics and Photonics News (OPN).

Ha recibido varios premios y reconocimientos: en el año 2015 ganó el Premio OSA 2015 a Jóvenes Profesionales Destacados de la sociedad OPTICA; en 2016 fue nombrada embajadora de la OPTICA; y, en 2017, ganó el "Achievement Award" de la Sociedad Europea de Física.

Gracias a su experiencia en ciencias, ha puesto en marcha un curso para estudiantes de doctorado sobre desarrollo profesional, que abarca desde los temas de habilidades blandas (soft skills) hasta la comunicación científica, pasando por las redes sociales, la divulgación y todos los aspectos no técnicos necesarios en las profesiones científicas.

Entrevista realizada por Paloma López.

Abril 2020 -
Entrevista a Beatriz Santamaría Fernández

Beatriz Santamaría Fernández

es licenciada en Física en la Universidad de Salamanca, cursó el Máster en Formación de Profesorado en la Universidad Internacional de La Rioja y el Máster en Tecnología Láser en la Universidad Politécnica de Madrid (UPM). Obtuvo su doctorado en Ingeniería Mecánica en la UPM en el 2020 con la tesis titulada "Development and optimization of an Optical Label-Free Biosensor for ocular pathologies" y desarrollada dentro del Grupo de Óptica, Fotónica y Biofotónica situado en el Centro de Tecnología Biomédica.

Actualmente, además de ser miembro del mencionado grupo de investigación, es Profesora Permanente Laboral en el departamento de Ingeniería Química, Mecánica y Diseño Industrial de la Escuela Técnica Superior de Ingeniería y Diseño Industrial de la Universidad Politécnica de Madrid. Durante estos años ha participado en dos proyectos financiados por la Comisión Europea y 4 proyectos de carácter nacional. También es coautora de 22 artículos científicos JCR y de 25 contribuciones presentadas en congresos.

Beatriz participa activamente en actividades de divulgación a favor de la inclusión de la mujer y la niña en la ciencia, habiendo sido parte de comités de organización de diferentes jornadas del movimiento 11 de Febrero. Es miembro de la Asociación de Mujeres Investigadoras Tecnólogas y de la Sociedad Española de Óptica, siendo en esta última, la secretaria actual del Área de Mujeres, Óptica y Fotónica.

Entrevista realizada por Paloma López.

En tu tesis trabajas en el Grupo de Óptica, Fotónica y Biofotónica estudiando las posibilidades del diagnóstico de la "enfermedad del ojo seco". ¿Nos puedes contar un poco más sobre esto?

La enfermedad del ojo seco es una patología ocular muy común entre adultos de avanzada edad desde hace ya muchos años. Desafortunadamente, en las últimas décadas ha ido en aumento entre la población joven también debido al uso continuo de dispositivos con pantalla y la contaminación ambiental.

Por otra parte, esta patología comparte muchos síntomas con otras enfermedades oculares y hace que su diagnóstico pueda ser erróneo, más aún cuando éste se basa, en la mayoría de los casos, en preguntas subjetivas que se realizan al paciente.

En vista a esta problemática que los oftalmólogos nos presentan, surge la posibilidad de aplicar nuestra tecnología para la creación de un diagnóstico en lágrima en la propia consulta clínica. Los pacientes que sufren de ojo seco sufren alteraciones en las concentraciones de ciertas proteínas contenidas en su lágrima. Si nosotros somos capaces de detectar esos niveles de proteínas, podremos dar un diagnóstico más preciso e incluso llevar el seguimiento de los tratamientos que el profesional estime.

¿Por qué biosensores ópticos? Nuestros biosensores están basados en transductores interferométricos con un espectro determinado que varía de forma notable si se produce alguna alteración (como la detección de proteínas) en su capa interferométrica.

Hoy en día, se puede realizar un diagnóstico basado en la detección de proteínas en lágrima, pero con ciertas limitaciones: se realiza en laboratorios especializados, se requiere de gran cantidad de muestra (50 µL mínimo) y todo ello incrementa los costes.

La principal ventaja del biosensor óptico que nosotros proponemos es la de poder monitorizar de manera vertical sin necesidad de un acoplamiento de luz, lo cual evita elementos complejos, de grandes dimensiones y costosos. Así, podemos reducir las dimensiones y junto con un *software user-friendly* poder tenerlo directamente en la consulta del oftalmólogo. Además, el reducido tamaño del sensor nos permite realizar detecciones en muestras de hasta 1 µL.

¿Qué te llevó a interesarte por la óptica? ¿Tuviste algún referente?

Esta pregunta la puedo resumir en una sola palabra: holograma.

Tuve la grandísima suerte de contar durante la carrera de física en la Universidad de Salamanca con una profesora apasionada por la óptica, Isabel Arias. Su asignatura de óptica en tercero y la forma en la que ella la explicaba me llevó a elegir todas las asignaturas de óptica disponibles en cuarto y quinto de carrera. Fue entonces, en la asignatura de Óptica Coherente, cuando nos propuso como práctica la realización de un holograma. Aquello me fascinó, la precisión que hay que mantener en el montaje óptico, la influencia que tiene las condiciones ambientales, la luz que se utiliza, el camino óptico y al final, la artesanía que se requiere para revelar y obtener el holograma. Parece magia, pero, lo más bonito es que todo tienen una explicación física y todas las fórmulas y fundamentos que veíamos sobre el papel se hacen realidad en un holograma.

Hablando de referentes, ¿crees que es necesario motivar a las niñas para que elijan carreras STEM?

Es fundamental. Si algo he aprendido en los años que llevo dedicada a la investigación es lo beneficioso que resulta un equipo compuesto por personas multidisciplinares. Cuando un grupo está formado por gente de diferentes especialidades la lluvia de ideas y soluciones que surgen es mucho más rica. De igual manera pasa con las diferentes formas de pensamiento que tiene el género femenino y masculino y esto también enriquece a un grupo de trabajo. Por ello, es necesario terminar con el sesgo de "esta carrera es de chicas y esta otra de chicos" y para ello es fundamental contar con referentes femeninas en carreras como las STEM, cuya falta es notable.

¿Te resultó muy difícil llegar a obtener una beca o financiación para realizar tu doctorado? ¿Crees que en España se ofertan suficientes becas de investigación?

Tuve la suerte de iniciar mi doctorado a raíz de un proyecto que surgió con una empresa privada la cual financió mi primer año. Por desgracia, esta empresa tuvo que cerrar, de modo que emprendí un largo camino en búsqueda de nuevas fuentes de financiación, entre ellas múltiples becas que no obtuve (tengo una carpeta llena de solicitudes que lo avalan). Finalmente, conseguí una beca de la Universidad Politécnica de Madrid financiada por el Banco Santander.

No puedo decir si fue difícil o no el obtener la beca, lo que si afirmo es que suele ser un camino largo pero necesario. A veces eres rechazada porque no alcanzas los baremos estipulados (notas de corte, número de publicaciones, citas, etc.), otras porque tu proyecto no es lo suficientemente atractivo y en otras simplemente, porque hay gente mejor. Sin embargo, en el camino que recorres aprendes a redactar de manera más adecuada, a saber valorarte más y a vender mejor tus ideas. Al final la experiencia es un grado y no tienen nada que ver las solicitudes que a día de hoy redacto con aquella primera que envié.

¿Siempre has tenido claro que querías dedicarte a la investigación? ¿Piensas que las condiciones laborales de los investigadores predoctorales son buenas?

En verdad, no. La sociedad en la que vivimos nos marca ciertos hitos que parece que tenemos que ir superando: terminar la ESO, bachiller, obtener un título universitario, comenzar a trabajar, entre otros. Esta carrera que continuamente pesa sobre nosotros en muchas ocasiones no nos da la oportunidad de parar y pensar qué es lo que realmente queremos. En otras culturas, tras el bachillerato, muchos jóvenes de 18 años salen a viajar durante un año, a descubrir el mundo, conocer otras culturas y sobre todo conocerse a uno mismo y ver qué cosas les gusta. Esto, da un cierto grado de madurez que creo fundamental a la hora de elegir una carrera que va a definir de manera sustancial tu futuro.

Yo este parón decidí tomármelo tras terminar la carrera, pues no tenía nada claro cuál debía de ser mi siguiente paso a seguir, mi vocación. Estuve casi dos años viviendo en Londres, donde aproveché para estudiar bien el inglés, hacer cursillos de fotografía, sacar un máster online en Formación de Profesorado y trabajar mientras tanto en lo que podía. Durante este periodo conocí a muy buenos amigos, diferentes formas de trabajar, otras culturas y lo más importante, me reencontré con la ciencia. Resulta que la cultura en Inglaterra es gratuita y eso te permite visitar muchos museos. Yo aproveché para visitar el de ciencia y ciencias naturales en más de una ocasión y fue entonces cuando comenzó a crecer de nuevo dentro de mí la necesidad de responder preguntas y dar solución a problemas, en definitiva: investigar.

A día de hoy, tengo la gran suerte de trabajar en algo que me apasiona. La mayoría de los investigadores la tenemos. Lamentablemente, la vocación que sentimos por la ciencia es un arma de doble filo. El salario bruto de un investigador predoctoral durante sus 4 años de doctorado suele ser de media 18.000€ anuales y sin embargo, la vocación le lleva a trabajar no solo ocho horas diarias (hay muchos experimentos que requieren de más tiempo al día) sino además también a la lectura o redacción de artículos los fines de semana, a la redacción de proyectos en búsqueda de nuevas fuentes de financiación y en definitiva, a dedicar un tiempo extra que no está remunerado y sin embargo no pesa porque lo hacemos por vocación. Desgraciadamente, los empresarios e incluso las propias instituciones públicas se aprovechan en gran parte de esto.

Parece imposible hablar de otra cosa ahora mismo: la cuarentena por Covid-19 te ha pillado a punto de leer tu tesis, ¿cómo ha afectado a tu trabajo este parón?

Tenía pensado depositar mi tesis el 27 de marzo y defender a más tardar en mayo, pero todas las comisiones han sido canceladas. Esto supone el retrasar más la defensa y seguramente llegar fuera de plazo a convocatorias de becas o concursos de plazas en la universidad que me podrían permitir continuar trabajando en lo que me gusta.

No obstante, hay que mirar el lado positivo de las cosas, y es que este tiempo extra me está permitiendo revisar bien todo el manuscrito, corregir pequeños errores que se puedan haber escapado y planificar bien la presentación para la defensa.

Bajo este contexto, poder teletrabajar es un privilegio, sin embargo, no está siendo fácil realizarlo para algunas personas, ¿crees que la conciliación y el teletrabajo está siendo igual para toda la comunidad científica? ¿Cuál crees que va a ser el impacto de esta crisis en la ciencia española?

Esta crisis no afecta de igual manera a personas que pueden dedicar un tiempo ilimitado en casa para trabajar como a personas que tienen bajo su cargo el cuidado de niños o personas dependientes que requieren de atención. Pues en esta situación, muchos padres tienen que suplir el tiempo que antes ocupaba las clases o las actividades extraescolares y la conciliación se vuelve mucho más complicada.

La crisis sin duda alguna también afectará a la ciencia, hay muchos proyectos financiados públicamente que están parados y tienen que ser justificados, pero sin resultados no va a ser posible. Al igual que muchas convocatorias que seguramente se queden sin lanzar. Por otra parte, por mucho que durante esta crisis se esté poniendo un foco especial en la importancia que tiene la ciencia para la resolución de los problemas que se nos presentan, creo que esta fama va a ser momentánea. Ojalá me equivoque y parte de los presupuestos del Estado y de muchas empresas privadas se destinen a partir de ahora a la investigación, pero opino que aún falta mucho para cambiar el erróneo pensamiento de que la ciencia es una inversión a fondo perdido. Ojalá me equivoque.

Mayo 2020 -
Entrevista a Estefanía Prior Cano

Estefanía Prior Cano es doctora en Ingeniería Fotónica por la Universidad Carlos III de Madrid, donde realizó Ing. De Telecomunicaciones (2012), Máster en electrónica (2014) y PhD en Ing. Fotónica (2016). Posteriormente trabajó en la empresa spin-off del sector industrial Luz Wavelabs S.L como responsable de ingeniería I+D. Actualmente es docente en la Universidad de Castilla la Mancha impartiendo asignaturas como Sensores y Redes de sensores y Circuitos electrónicos dentro del Grado en ingeniería de Telecomunicaciones y Grado en Ingeniería Biomédica.

Su investigación se centra en el desarrollo de arquitecturas para generación, expansión y optimización de Optical Frequency Combs (Peines ópticos, OFCs) usando arquitecturas fotónicas no lineales y distintas tecnologías láser de diodo (DFB, DM, VCSEL, entre otras). Ha publicado más de 10 artículos científicos en JCR Q1, conferencias internacionales y estancias en TUDarmstadt y Chalmers University respectivamente.

Compagina esta tarea con talleres para colegios e institutos sobre los sesgos que hacen que las mujeres sigan siendo minoría en carreras científicas y técnicas y que las mujeres sigan luchando más para llegar a puestos de poder. Para ello, creó con otras compañeras la asociación *NosOtras* pensando, creando, divulgando", de la que actualmente es presidenta. En el marco de la asociación realizan clubes de ocio feminista (lectura, arte, etc), charlas en colegios e institutos, escriben en periódicos locales y emiten el programa de radio La Hora Violeta, todo ello desde Cuenca, su ciudad natal, para remarcar también el efecto de la brecha digital en zonas rurales de la provincia. Entre otras, formó parte de la charla TEDx con título "El clic de la cuestión: las mujeres hacemos ciencia".

Entrevista realizada por Amal Zaytouny.

Sabemos de la importancia que tienen las mentoras en nuestra etapa formativa, sobretodo en edades tempranas. ¿Tienes o tuviste alguna que haya influido de alguna manera a lo largo de ese trayecto? ¿Qué te llevó a querer iniciar una carrera investigadora/científica?

No hay una única persona pero claramente sí hubieron personas que me influyeron. Primero recuerdo a mi maestro Don Víctor en primaria donde aprendí que las Matemáticas y el Conocimiento del Medio eran las asignaturas que más me interesaban. Recuerdo que deseaba tener mi propia tecnología, mi ordenador y videoconsola, que no era tan habitual entonces. Siendo adolescente, me enteré de que mi padre había comenzado a estudiar Ingeniería de Telecomunicaciones y empecé a pensar que quizá yo podía y quería continuar ese camino. Luego hubo gente que me dijo que quizá eso no era de mujeres, y lo cierto es que yo no conocía a ninguna mujer ingeniera. Para entonces seguía viviendo en Cuenca y conocí a una mujer que estaba estudiando ingeniería. Pensé que quizá sí se podía.

Ya en Leganés, en la universidad veía que iba avanzando y aprendiendo. Fueron años muy estresantes pero lo conseguí. A la investigación llegué por casualidad, al hacer el proyecto fin de carrera. Me ofrecieron compaginarlo con una beca y quise probar unos meses. Poco a poco fui entrando en la dinámica de ir estudiando, probando, descubriendo, aprendiendo. Durante esta beca tuve la oportunidad de trabajar junto al Prof. Peter Meissner de TUD en Darmstadt, que vino un año como profesor emérito a la universidad, señor que a punto de jubilarse seguía manteniendo la pasión de descubrir y de probar en el laboratorio.... Trabajar con él fueron muchos dolores de cabeza de tanto estrujarme los sesos pero fue muy motivador. Sin duda él fue otro gran referente. Tras unos meses me propusieron hacer la tesis pero fui reticente, pensaba que iba a ser demasiado absorbente pero con el paso del tiempo acabé haciéndola y tomándomelo como un trabajo que me estaba apeteciendo hacer, y me enganché a la investigación. Ahí tuve la oportunidad de trabajar con la Profa. Cristina de Dios como directora y también fue genial para mí ser dirigida por una mujer, además joven y cercana. Y así terminé la tesis en 2016.

Partiendo de tus conocimientos sobre el perfil femenino dentro del ámbito empresarial, ¿podrías destacar alguna diferencia en la imagen que se tiene de la mujer en el mundo de la academia frente al mundo empresarial?

Yo diría que la diferencia en la imagen de la mujer depende de cada entorno concreto y, aunque ciertamente la empresa puede considerarse más competitiva no necesariamente va a haber más sexismo en ella. Es algo inherente a todos los espacios en los que nos movemos y yo creo que es imposible estar en un espacio libre de sexismo a día de hoy en cualquier entorno masculinizado, además muchas veces son cosas muy sutiles que no sabemos ni reconocer.

A día de hoy las herramientas y la información existen para fomentar la igualdad de oportunidades, la inclusión y la presencia de diversidad. Podríamos buscarlas, aprenderlas, recibir formación e instaurar políticas. No se aplican ni en academia ni en empresas grandes ni pequeñas, si acaso pequeñas charlas que son más un lavado de cara que una aplicación real al entorno. Seguro que hay alguna excepción, no quiero generalizar tampoco.

Los datos advierten que el 90% del empleo femenino se concentra en el sector servicios, por lo que el ámbito empresarial suele estar bastante masculinizado. ¿Alguna vez has experimentado o presenciado situaciones de machismo/micromachismo, o se ha dado en tu ámbito de trabajo algún tipo de discriminación por el hecho de ser mujer?

Claro, ambas. Trabajando en empresa he tenido un par de eventos muy desagradables, aunque creo que en otro entorno no empresarial podría haber pasado similar. En 2017 dijeron a mi jefe que yo no debía trabajar sola porque soy mujer a pesar de ser la única persona que conocía previamente los experimentos a hacer. Un par de meses después hubo un señor que al verme dijo que qué alegría ver a alguien "guapa además de inteligente". En solo dos meses, estando yo tan tranquila haciendo mi trabajo y sabiendo lo que hacía, eso es desagradable, sin duda. Lo que más me molesta es que esos actos no tengan consecuencias, esos señores probablemente piensen que yo "tuve una pataleta" en lugar de darse cuenta de que su comentario es inaceptable. No hay un entorno social que permita que ese señor quede descalificado y sigue pareciendo que nosotras actuamos exageradamente y debería afectarnos menos.

Y todas las mujeres que conozco tenemos experiencias similares a lo largo de nuestra vida laboral. Creo que nos cuesta mucho identificarlas y contarlas pero al final aprendí que es necesario unirnos entre nosotras y ver qué nos pasa por ser mujer y no por algo que hayamos hecho o dejado de hacer. Y entender eso enfada porque es injusto pero da mucha calma porque ves que no depende solo de ti sino que es algo estructural, social, patriarcal.

A veces lo más complicado son comportamientos pequeños y sutiles que te hacen dudar si lo que pasa es normal o no lo es. Ahora tengo un chat con amigas científicas y cuando nos pasa algo lo compartimos rápidamente en plan: "mirad lo que me ha pasado...diría que ha sido sexista, ¿qué creéis?". Compartirlo y apoyarnos ha sido una gran ayuda. A veces incluso desde afuera vemos mejor los comportamientos machistas que suceden, mis amigas me han hecho ver situaciones que yo, metida en mi entorno, no me daba cuenta.

La consultora Rocío Lozano comenta en una charla TED (con la que también estás familiarizada) qué papel tiene la incorporación de la mujer a los puestos de dirección en el perfil innovador de una empresa. ¿De qué forma consideras que podría influir la diversidad de género y la inclusión de la mujer en el liderazgo dentro de este tipo de organizaciones?

Estoy convencida de que la incorporación de la diversidad (no solo mujeres, también personas racializadas, migrantes, procedentes de distintos entornos socioeconómicos, personas LGTB+, diversos cuerpos, diversas maneras de vestir, etc.) mejora tanto la rentabilidad de las empresas como la propia manera de estar en el trabajo. El mejor resultado sólo llegará cuando todas las personas tengamos las mismas opciones de formar parte de él y si las oportunidades de acceder a ciertos trabajos son diferentes entre personas por motivos no elegidos y ajenos a nuestras habilidades, entonces se está perdiendo conocimiento.

Por otro lado, creo que es peligroso hacerlo solo por rentabilidad o porque hay un beneficio y no hacerlo simplemente por justicia social, por entender de una manera profunda la importancia de la igualdad de oportunidades. Como colectivo tenemos una responsabilidad y como persona individual también. Al menos, ponernos cada quien en nuestro contexto. En mi caso, como dije en esta conferencia: Que ser mujer deje de limitarme. Que ser guapa deje de favorecerme. Que ser conquense deje de limitarme. Que ser occidental deje de favorecerme, y así sucesivamente. A veces hablamos de las empresas como si fueran entes asépticos en lugar de estar formados por personas. Y creo que el cambio también tiene que venir de dentro de cada persona, de entender nuestros contextos.

Según un informe del 2019 llevado a cabo por Grant Thornton, únicamente el 27% de las mujeres en España ocupa cargos de alta dirección. El acceso de las mujeres a puestos de mayor responsabilidad llegadas a un cierto nivel en la jerarquía empresarial se dificulta al encontrarse estas con un techo de cristal muy difícil de romper. ¿Cómo crees que se puede estimular la representación femenina en cargos con alta responsabilidad empresarial? ¿Alguna vez has sentido que has tenido que trabajar más que los hombres de tu entorno para obtener un reconocimiento similar?

En mi caso me he sentido más fuerte y reconocida como mujer ingeniera ya en la empresa, que ha sido mi último trabajo remunerado. Había leído mucho más sobre síndrome de la impostora, sexismo en el entorno laboral y en ciencia, etc. No por leer desaparecen pero sí hay una parte de crecimiento, de claridad de lo que está pasando, de lo que aporto y de lo que no. Incluso con esas siempre hay situaciones en que dudas si estás siendo evaluada de manera más dura que tus compañeros, si se te escucha igual o se te cuestiona igual. A menudo me cruzo con estudios que hablan de cómo las mujeres tenemos que aprender ciertas habilidades típicamente masculinas para conseguir que nos valoren en el trabajo, pero yo no estoy de acuerdo, creo que hay que valorar distintas maneras de mostrar el trabajo, entre ellas las socialmente reconocidas como femeninas. Así por ejemplo hace poco me crucé con estos artículos sobre fanfarronear sobre nuestros logros. Por un lado, entiendo que si llamas menos la atención parece que haces menos pero creo es mejor no perder tiempo en que las cosas parezcan mejores de lo que son sino valorar el trabajo de una manera más objetiva y realista. Y creo que eso beneficiaría a mujeres y a hombres, ¡y al mundo en general!.

Sobre el techo de cristal creo que estamos viendo cambios pero tienen que haberlos mucho más. Hay múltiples causas pero voy a centrarme en una fundamental: el momento de tener criaturas. Según este artículo, los estudios concluyen que la paternidad no afecta a la carrera profesional mientras que la maternidad está relacionada con el 80% de la brecha de género en acceso a puestos de poder. Hace unos meses se publicó el estudio del que habla el artículo anterior, que muestra las variaciones salariales en mujeres tras su parto viendo si su pareja es un hombre, o es otra mujer. Cuando su pareja es otra mujer, el salario se reduce a un 7% menos y sobre todo, se vuelve a igualar a los 5 años del parto. Pero el salarió de la "co-madre" sí se vio levemente afectado, cosa que no sucede en las parejas varones. Creo que son fundamentales la conciliación y la corresponsabilidad en la crianza y el cuidado de la casa. Y creo que son los hombres en parejas heterosexuales quienes tienen que dar el gran cambio. Entiendo que de primeras no quieran o parezca que la historia no va con ellos, pero sí va y cada vez va a ser más vergonzoso para ellos no hacerse cargo de estas cosas. Aunque sea polémico creo que debemos empezar a decir alto y claro que tener criaturas con compañeros hombres resulta en un detrimento de nuestras posibilidades laborales y de acceso al poder. Y los datos empiezan a evidenciarlo. Este otro estudio muestra que las mujeres tienen más posibilidades de divorciarse si ascienden, cosa que no sucede a los hombres. Son datos muy interesantes y muy clarificadores, y ahora que los tenemos debemos implementar medidas que los contrarresten a corto plazo y educación para que esas medidas dejen de ser útiles y haya un cambio cultural a largo plazo.

Nosotras ya estamos encontrando nuestras alternativas. Las mujeres que queramos vamos a ascender, a trabajar y a lo que haga falta. Pero también se muestra que cada vez nos emparejamos menos, elegimos vivir solas, vivir con otras mujeres o vivir con hombres de menor estatus. También tenemos cada vez menos criaturas. Hay cosas que van cambiando y aun así queda por hacer. Es una pena por un lado y a la vez tenemos delante la oportunidad de cambiarlo. Hace años casi me da un *apechusque* al ver estas barras sobre la situación familiar de mujeres catedráticas en el año 2006. Pues eso, hay que cambiarlo.

La brecha que todavía existe entre hombres y mujeres se hace palpable en muchos indicadores. Por citar un ejemplo, las mujeres representan a día de hoy el 74% de las personas que tienen un contrato de trabajo parcial. Además, de acuerdo con la EPA, el 95% de las personas que prefirieron trabajar solo a media jornada por tener que cuidar de hijos o enfermos, eran mujeres. ¿Crees que se debería empezar a abordar el problema desde el marco del constructivismo social (prácticas culturales y/o sociales), o más concretamente desde las propias organizaciones?¿Se te ocurre alguna iniciativa?.

Hay personas más expertas que yo en esto y que tendrán ideas mucho más claras de cómo abordarlo. Yo, sin ser experta, creo que todo problema complejo hay que abordarlo desde diferentes perspectivas. Obviamente hay una gran parte que es social, deben unirse educación a las futuras generaciones, legislaciones que la amortigüen, iniciativas ciudadanas y asociativas y también debería haber implicación de las empresas, como decía antes, entendiéndolas como conjuntos de personas y no entes ajenos a la sociedad. La corresponsabilidad en los cuidados familiares es gran parte de la cuestión, como hablaba antes, y muchas mujeres que trabajan a tiempo parcial lo hacen para cuidar el resto de la jornada.

Centrándonos en las empresas, creo que hay un montón de propuestas e iniciativas y merece la pena que cada organización pueda probar y elegir la que piense que le va a funcionar mejor. Hay iniciativas que proponen cuotas, otras que proponen hacer públicos los datos de diversidad, fomentar las guarderías, el horario flexible o el teletrabajo. Me gustaría pensar que se irán implantando sin que vengan obligadas por normativas, pero me temo que la legislación va a tener que ir forzando estos cambios. La pena es que entonces las soluciones estarán más pautadas y se harán de manera forzada para cumplir una norma. Y entonces en lugar de soluciones se implementan parches parciales. Cuando leí esta noticia pensé que a veces hay soluciones relativamente sencillas, quizá pedir información e ir haciendo estadísticas puede funcionar. Si las personas que forman una empresa tanto trabajadoras como medios cargos y personas directivas tuvieran que darse cuenta y reconocer los sesgos que tienen, querrían cambiarlos. Poca gente reconocerá sin vergüenza que solo tiene señoras de la limpieza mujeres y señores directivos en sus plantillas. ¡Espero no confundirme! (Ríe).

Estás implicada en iniciativas que buscan visibilizar el papel de la mujer en ciencia y que a su vez fomenten su participación en distintas ramas del conocimiento. Según tu experiencia en *NosOtras* pensando, creando, divulgando, ¿cuál es el mayor reto al que nos enfrentamos a la hora de promover el interés por las carreras STEM entre las más jóvenes? ¿Consideras necesario fomentar las vocaciones científicas en las niñas y jóvenes?

Sin duda es necesario, y a la vez lo considero insuficiente. Leyendo este libro me di cuenta de que las investigaciones feministas han demostrado que visibilizarnos como mujeres STEM y referentes que somos, es genial y es útil pero es insuficiente, porque el problema es más profundo y está relacionado con los estereotipos. Pienso que los estereotipos son la clave del problema y, como dice Cristina Aranda, hay que hackearlos. En la asociación *NosOtras* nos gusta llamarlo "apagar los pilotos automáticos". Ahora bien, hay que entender cómo el género forma parte profunda de nuestra identidad y para desmontar los estereotipos necesitamos nuevos referentes. Sobre todo diría referentes diversos, me gusta la perspectiva queer en este sentido, como propone aquí Aitor Villafranca. Explorar la opción B como propone en esta TED, Alexandra Olaya-Castro. Llamémoslo de múltiples maneras, al final es entender la importancia de la diversidad y la igualdad de oportunidades de manera global.

Creo que el mayor reto es dar herramientas a las futuras generaciones para que puedan apagar más y más pilotos automáticos, encontrar nuevas soluciones y nuevas y diversas conductas. Para que crean en una nueva ciencia y creen una nueva ciencia más colaborativa y más inclusiva como decíamos en este artículo. Mostrar la oportunidad que hay en re-conocer el conocimiento y alentar a la chavalería a llegar al éxito desde múltiples perspectivas, como por ejemplo proponen en la guía Sorkin.

Hoy en día es bastante común que los y las investigadoras compaginen su actividad científica con la divulgación; sabemos el impacto que esto puede tener desde una perspectiva formativa y sensibilizadora de aquel que está al otro lado pero, ¿qué te está aportando a ti esta actividad hasta ahora?

Durante tiempo pensaba y tenía la impresión de que ser ingeniera y científica me posicionaba en una élite de conocimiento y eso me alejaba de la sociedad y de las personas, cuando yo no quería eso sino al contrario, que mi conocimiento, mi trabajo y el de la ciencia y la ingeniería en global reviertan de alguna manera a la gente. Ahora mismo la divulgación me aporta precisamente eso.

Por otro lado, con los talleres y charlas que hacemos nos acercamos a la gente, bajamos la ciencia de esas élites que no se corresponden con el sitio en que creemos que deben estar. La gente y sobre todo la chavalería se acerca, pregunta, se sorprende de pensar que llevamos una vida "normal", una vida con ocio, con días vagos y días trabajadores, con ocio con amistades, etc. Eso te hace pensar que realmente estás cambiando el estereotipo y a mí me hace sentir esperanza en que las cosas van a cambiar.

También es cansado y hay épocas que necesito desconectar. Compagino esto con mi trabajo y eso implica trabajar por las tardes o fines de semana y no siempre es fácil encajar eso con una vida que incluya mi tiempo libre, intereses, amistades, mi propio cuidado personal y familiar, pero lo vamos haciendo como poco a poco podemos. Lo bueno es que por el camino conoces a personas que lo hacen igual y todas tenemos dilemas similares. Y al final el *feedback* tras las charlas es tan motivador que siempre quiero continuar, ¡por ahora al menos!.

También compaginas tu trabajo con acciones de voluntariado en el centro educativo *Casa de la Esperanza* en Poptún, Guatemala. ¿Te importaría contarnos en qué consisten las acciones que llevas a cabo en la asociación? Con base en sus valores, ¿cómo se percibe el papel de la mujer en esos pueblos con pertinencia cultural maya? ¿Podríamos aplicar o llevarnos alguna lección de los principios por los que se rigen estas sociedades?

La cosmovisión maya es interesantísima. Sobre todo destacaría la idea de comunidad, esa idea de que lo mejor para mí no es lo mejor para mí individualmente sino lo mejor para mí misma y mi comunidad a la vez. Y desde ahí se encuentra un gran poder en las mujeres mayas como sostenedoras de la comunidad. Son mujeres fuertes, luchadoras y he podido admirar a muchas de ellas. De ellas pude aprender la paciencia, la persistencia, dejar que las cosas lleven su curso y tengan sus tiempos. Esto es algo que en la Europa inmediata y digitalizada cada vez nos cuesta más.

Igualmente aquí tendemos a ver los polos como opuestos irreconciliables mientras que en la cultura maya se observa como los dos lados de la misma moneda, así que uno tiene que existir para que su polo exista y viceversa. Entender la subjetividad desde ahí fue toda una revolución mental para mí. Creo que las personas que nos dedicamos a investigar deberíamos también tener conocimientos sobre diversas culturas porque abren la mente y desde la educación que recibimos en España esto es difícil de comprender.

Sobre el papel de la mujer en la cultura maya es un tema interesantísimo. Desde España, o desde mi entorno al menos, a menudo consideramos que el respeto es menor a la mujer en América Latina y no es así, tenemos mucho que aprender de las feministas decoloniales de continentes como América Latina o África.

Durante los meses que estuve allí hice distintas tareas: clases de inglés, matemáticas, coordinar el programa de radio, cortar fruta y reponer la tienda para la venta durante los descansos, etc. Al final aprendes que es importante hacer de todo y en mi caso llegué para dar clases de inglés pero luego había otras personas más preparadas para ello y yo fui recalculando mi función. Aprendí también que pensamos que podemos realizar cualquier tarea y en el voluntariado bien planteado debes hacer algo para lo que estés preparada. Dar clases de inglés no estaba en mi *expertise*, sin embargo coordinar el programa de radio y montarlo sí porque venía de participar en el programa *La Hora Violeta en Cuenca*.

Echando la vista atrás y en relación a tu carrera formativa, ¿cambiarías o harías algo de manera diferente si pudieras volver al pasado? ¿Qué consejo le darías a una joven que busca iniciarse en la rama de la investigación?

No sé si cambiaría cosas. Seguro que muchas sí y a la vez no lo sé porque gracias a ellas he llegado a donde estoy. Me habría gustado tener una mente más crítica y abierta desde más temprano, durante la carrera universitaria sobre todo. Comencé tras terminar ingeniería y ahora creo que podría haber aprendido más si hubiera estado menos pendiente de aprobar y más de aprender. Creo que es consecuencia del sistema educativo que tenemos también junto con la exigencia de las personas que fuimos buenas estudiantes en primaria y secundaria. Poniendo todo esto junto creo que estoy donde tengo que estar. Pienso que cada día me acuesto conmigo misma y eso es lo único que seguro va a permanecer en mi vida, así que mejor tomar cada día las decisiones que al largo plazo me ayuden a dormir bien, ¡espero que así siga siendo! (Ríe).

A una joven que empiece ahora a investigar le diría sobre todo que busque referentes, personas que han estado donde ella y ahora están unos pasos más allá. Así poder ver que alguien parecida a ti lo hizo y tener contacto con alguien que ya ha hecho el camino que tu quieres recorrer. Además, en el caso de chicas o mujeres les diría que busquen equipos con compañeras mujeres donde puedan apoyarse mutuamente. Y si no los tienen en su sitio de trabajo pueden encontrarlos en grupos feministas u otros entornos. Para mí tener amigas con vidas parecidas a la mía ha sido fundamental. Tejer redes dentro y fuera del trabajo, redes de confianza y respeto es la gran revolución y el mejor camino para que cada quien pueda aportar lo mejor que tiene que aportar… ¿y en eso consiste, no? ;-)

Junio 2020 -
Entrevista a Arti Agrawal

Arti Agrawal

Los actuales cargos profesionales de Arti reflejan su doble pasión: La ciencia y la justicia social.

Es profesora asociada adjunta en la Escuela de Ingeniería Eléctrica y de Datos de la Universidad Tecnológica de Sídney (UTS). También es consejera delegada y fundadora de Vividhata Pty Ltd, una empresa de consultoría sobre diversidad e inclusión.

Arti ha ganado numerosos premios por su trabajo en materia de diversidad e inclusión:

• Ganadora del STEM Hall of FEMME 2021 de Wiley

• OSA Diversity & Inclusion Advocacy Recognition, por una dedicación inquebrantable a la promoción de la diversidad y la inclusión en toda la comunidad mundial de la óptica y la fotónica, 2020

• IEEE Photonics Society Distinguished Service Award por sus excepcionales contribuciones a la equidad y la diversidad, 2020

• Ganadora del STEM Hall of FEMME de Wiley 2021

• OSA Diversity & Inclusion Advocacy Recognition, por una dedicación inquebrantable a la promoción de la diversidad y la inclusión en toda la comunidad mundial de la óptica y la fotónica, 2020

• Premio al Servicio Distinguido de la Sociedad de Fotónica del IEEE por sus excepcionales contribuciones a la equidad y la diversidad, 2020

"Vividhata" significa diversidad en sánscrito y es una empresa social certificada que devuelve el 50% de sus beneficios a causas comunitarias. La empresa personifica su visión de promover e integrar globalmente iniciativas de diversidad e inclusión en todos los sectores de la sociedad. Para crear Vividhata, Arti se ha guiado por sus experiencias interseccionales como mujer inmigrante de la India, persona de color, física y orgullosa miembro del colectivo LGBTQIA+.

Entrevista realizada por María Viñas y Aitor Villafranca.

Arti, you are currently an Associate Professor at University of Technology Sydney, but you have had previous appointments at City University London and IIT Delhi, could you tell us, which was/is the most exciting stage of your scientific career? And which was the scientific result you are more proud of?

In some ways I am in the most exciting stage of my scientific career right now- maybe I'll always feel that at each stage!

After my move to Sydney I had to set up my research anew and start collaborations in a completely new environment.

I currently work with several experimental groups and provide simulation expertise. As a result I am working on a larger variety of photonics problems than ever before, at the cutting edge, and learning so much! For example my current projects include:

- Coupling of plasmons-phonons in a Graphene-SiC system
- Design of nanoplasmonic array for cancer biomarker detection
- Tackling Stimulated Brillouin Scattering in high power fiber amplifiers
- Design of photonic lanterns
- Design of nano photonic components with 2D Transition Metal Di Chalcogenides (TMDCs)

The scientific result I remain most proud of is the design I made of spiral photonic crystal fibers (see https://openaccess.city.ac.uk/id/eprint/1226/ and https://openaccess.city.ac.uk/id/eprint/1227/). It was so much fun to convert an abstract mathematical concept into a design. And then to use more abstract geometry to show mathematically how to adapt stacking/circle packing can achieve this exotic design (see https://openaccess.city.ac.uk/id/eprint/2016/)- all simulation though.

When did you discover that you wanted to be a scientist? What references/mentors did you find when you were a student? And do you feel that you can be a reference for future generations of women scientists?

I always knew I wanted to do Science, from when I was a kid 8 years old and could not even spell the word "scientist". I saw Carl Sagan's Cosmos series and I was hooked.

As a student there were few famous female scientists that I could name and say I wanted to be like them. The drive and love for science was more internal for me than through external reference. In fact most of my family are doctors, lawyers, accountants… so I was a misfit.

During PhD I was and remain inspired by my advisor, Prof. Anurag Sharma. He has an amazing clarity of thought and mathematical ability. I wanted to be like him as a scientist but also as a human being.

Though yes I do think mentors and role models are important. For sure all of us, including myself, can be role models to younger scientists, especially women. When younger women see women succeeding it can just make the path look more possible.

As a female scientist in a male dominated topic and as a strong advocate for Women in STEM (and particularly in Optics), could you tell us any specific situation (in the lab, in the University, etc), where you feel you were

treated differently just for being a woman? What would you say to those scientists that deny a gender gap in Science?

In India so many girls do STEM, and at college for my undergrad, during my PhD, I did not feel treated differently at all or feel isolated.

For me the difference in treatment became pronounced when I moved out of India. It was intertwined with race as well. There was no real way to separate out my race and gender. The major difference I noticed was that (in Engineering) the atmosphere seemed much more macho and overall culture needed huge improvement.

As a postdoc it was fine- my boss was lovely, but when I became a lecturer I felt like I had to do 3-4 times better than others. Unconscious bias or other factors were the cause but there was a lot of micro aggression to deal with from some (not all!!) male colleagues. Career growth in terms of leadership seemed limited to someone like me: as though I was invisible and often opportunities went to white guys.

Numbers tell a story- if there wasn't a gender gap then why should less than 30% of scientists be female? I'd say we need to sit with people who deny gender (or other gaps) and talk frankly with evidence.

More specifically, we would also like to know your view on the fact that the postdoctoral stage is killing the scientific careers of many women. We usually focus on education, on attracting girls to careers in STEM but problems really pile up during the postdoctoral stage, with a subsequent drop in the numbers of female postdocs. Furthermore, establishing yourself as an early career professional typically requires you to be more

ambitious, a quality that can be very gendered in our society. Can you tell us how has been for you the jump from the PhD stage, where you are still a student, to the postdoctoral stage? What programs do you think should be targeting that specific stage of the scientific career?

There are barriers at every stage. The uncertainty of funding in postdocs and continuing that to get a faculty position are really tough.

It was no different for me. Getting the first postdoc was really hard, especially because I was trying to move overseas from India: people don't want to/can't sponsor visas. Even though I graduated from a top Indian institute which is really excellent, the degree was not always treated with the same respect as a western university. I made over 100 applications and eventually was awarded a Royal Society postdoc through a competitive peer reviewed grant process.

After that, I did postdoc for a few years. But the pressure to keep applying for funding was intense and not knowing what would happen was quite stressful.

Many young postdocs get married and may have child care responsibilities too around this crucial time. The pressure of managing all that and work is formidable. Plenty of studies show that women's careers suffer more due to this.

I'd say having funding scheme for females to help them continue in postdoc and then transition to faculty positions would be useful.

You have lived in different countries. Which differences regarding the situation of women in Science have you found between them, if you did?

I think developing countries have better statistics for female participation in Science than developed western countries. There is also better social mobility in these countries. Girls, young kids from rural and/or poor backgrounds can study Science and do well economically — a key motivator for people to study STEM there. Whereas in many western countries etc. the biases on who studies Science is very deeply ingrained and is gendered. Upward social mobility is in my view limited.

Being queer in STEM can also be quite challenging. Recent studies still show higher drop rates, workplace discrimination and harassment, and a significant fear of coming out in professional environments. In this situation, having visible role models like yourself can be a game changer. How has been your personal journey on this regard? Was it a tough decision to become visible as a lesbian scientist? How has the response been?

Being a lesbian in Science has been tricky but it's a long story.

Growing up in India with the hideous homophobic Victorian era laws left to us, was hard. I was not out to anyone. I didn't know any LGBTQIA+ person – not in my school, college, family, neighbourhood; not in media or TV. I didn't even know the word for gay in my own language, Hindi. So there was a lot of fear and homophobia (including internal) to live with.

I came to accept myself during the postdoc in London. But I was not out at work — which was a very cis hetero macho male culture. I didn't know a single gay colleague or LGBTQIA+ scientist. I found support outside Science and outside work, through the Gay Women's Network (www.gwn.org.uk) and eventually came out at work.

I still don't know many LGBTQIA+ people in optics, almost no one in the generation older than myself. So there are no role modes I can look at and learn from.

But I was determined that what I went through should not be the case for the next generation. Partly for that reason I've worked on LGBT events and groups within Optics, STEM organisations. It is also the reason that I am publicly out – if it can help a young person realise they are not abnormal, then it is worth it.

In fact I received this email (see excerpts from the message below) from a young woman, which shows how important this is:

"I'm a high school student from —. I was going through the 500 Queer Scientists Instagram page. See, recently (last year) I came to terms with the fact that I'm a lesbian and …I was pleasantly surprised to find someone from India—someone who grew up without any LGBTQ role models or influences—on an Instagram page for queer scientists and with success in her field. I find it very inspiring since I'm from Bangladesh and growing up, I didn't even know that being gay was possible. Since coming here I've discovered my love for science along with my sexuality.

I find your involvement in the STEM as a lesbian woman from India very inspiring and I suppose in some ways, it gives me hope for my own future. Thank you for that inspiration. I haven't seen many LGBT people of colour in the media, much less in the sciences. Your success and position means so much to me as a young woman just discovering my passions. I just want to say thank you. Thank you for being such an inspiration and role model. Thank you for being who you are."

LGBT+ discrimination is also affected by gender. "Exploring the workplace for LGBT+ Physical Scientists (UK, 2019)" shows that queer women are more likely to suffer harassment (19% vs 13%) and less likely to come out of the closet (44% gay men are out to everyone at work, whereas this rate falls down to 38% in the case of lesbian women, and to 14% in the case of bi/pan scientists). How do you think that we can incorporate the fight for gender equality in the fight for LGBT+ equality, and viceversa?

This is a tough question! Firstly we need to stop putting all inclusion and equity work in separate boxes and join hands. There is no hierarchy of human rights, and we should be fighting not for one group but for all of us.

I work a lot for women's rights in STEM, most of whom are cis hetero women. But I don't often see straight women stand up and talk about gay rights.

No matter how we identify we need to develop empathy with others and stand up for what is right, not just what is right for "me". Being totally self absorbed and only doing things for one's betterment cannot lead to an egalitarian society.

The LGBTQIA+ community is not homogeneous either: there is sexism, racism, transphobia, bi-erasure and other issues within it.

Training on equity issues: unconscious bias awareness, bystander training etc. Cross-group events can help to facilitate understanding and ideation by bringing together people of different characteristics. It can help overcome biases and create collaboration.

You are a member of the Board of Directors of the Optical Society, serving as Chair of the Membership

Engagement and Development (MED) Council and Associate Vice President for Diversity for IEEE Photonics Society. Could you tell us what type of programs have these scientific societies? Moreover what programs would you like to implement?

My term as Chair of the MED and member of Board of the Optical Society ended in December 2019 after a very rewarding and tiring 2 years!

During this time (focused on diversity), the Board created the anti-harassment policy and code of conduct for the Society and conducted a survey of harassment faced by individuals at conferences (see https://www.osa.org/en-us/meetings/code_of_conduct/). This is really important to weed out any kind of harassment and/or bullying within the Society.

A Diversity and Inclusion Advocacy recognition was set up to recognize and publicise best practice in diversity and inclusion. I was very proud of the work MED did in targeted efforts to increase the number of women in the Senior Member rank and increase the geographic as well as cultural diversity of senior member applicants.

In 2016 the Optical Society had set up a Rapid Action Committee (RAC) on gender which I chaired. This RAC made several recommendations on improving processes and function vis a vis gender, including the 50-50 gender target for the Board which was adopted.

With IEEE Photonics Society there has been a lot of ground up work on all areas of diversity. Now an oversight committee with members that bring expertise on different aspects of diversity has been active. The Women in Photonics group hosted and supported events all over the globe and female membership went up. Scholarships, travel grants for women, were set up. We saw female membership go up substantially as a result.

The 2 societies joined hands to set up the Susan Nagel lounge at OFC. The inaugural Pride in Photonics workshop was held at CLEO 2019 (due to Corona the 2020 workshop had to be put on hold). Several diversity training sessions have been held and are now part of the regular conference programming in USA.

I think it is time now to move to even more ambitious things: diversity programming is needed in all global locations not just the US.

I'd love a Women in Photonics conference, similar to the international Women in Physics or IEEE's Women in Engineering ILC conference. I want that we publish a journal special issue featuring research led by females. I want a Pride march in CLEO/OFC!

It's also time that there was a strict 50-50 requirement (gender) and a reasonable requirement (on cultural diversity) amongst editorial boards, conference invited speakers and committees, awards etc.

I want to see something done to make content (journals for example) more accessible for people with visual impairments, and conferences to be much more accessible for people with mobility limitations. Currently there are few to none disabled participants in most of our conferences and this is not right.

We can do more and must do more.

What would you tell a senior scientist, a group leader, who wants to improve gender and LGBT equality within a research group?

Attend diversity and inclusion training and events. We all need to learn and it will not waste your time! If you are a leader then use your clout to talk about diversity issues at various forums and influence processes/decision making to be equitable and fair.

Gender: Do not give roles, responsibilities in your team based on gender. Rotate responsibilities and develop everyone and their skills. In general women are over mentored and under sponsored. So, sponsor women: open doors to opportunities for them (a place on a key committee/project role etc.) that they can't access themselves but you feel they would do well in.

LGBTQIA+: Use gender neutral pronouns, e.g. do not assume that a person's partner is of the opposite gender. Help change the "normal = cis + hetero" culture. Have some visible LGBTQIA+ signifiers around in the physical and virtual spaces: in your email signature, or stickers on the door, lanyards that show you are an ally. Go through some ally training. Try and attend LGBTQIA+ events open to allies and meet people- you will learn a lot from people and see them as normal. Being a visible ally will make LGBTQIA+ people feel more safe in your group.

And finally, what would you tell a person considering a scientific career and belongs to a minoritized group in STEM, such as women or queer?

No matter what, follow your passion. You are neither abnormal nor odd. Look for and create a support network of like-minded friends and colleagues so you never feel alone. In whatever way you can give back to your community: it will give you joy, a sense of connection, and a stronger community makes you stronger and safer.

Julio 2020 -
Entrevista a María Sagrario Millán

María Sagrario Millán

es Catedrática de Óptica en la Universitat Politècnica de Catalunya-BarcelonaTech (UPC), España. Imparte clases de Óptica, Ingeniería Óptica y Procesamiento de Imágenes. Sus intereses de investigación incluyen el procesamiento óptico y digital de imágenes y sus aplicaciones a la industria, la seguridad y la oftalmología. La profesora Millán es autora de más de 200 publicaciones, entre libros de texto, artículos científicos revisados por pares, patentes y ponencias invitadas a congresos. Editora invitada en el número especial de Photonics (MDPI): "Ocular imaging for eye care". Supervisora académica de estudiantes de doctorado y máster. Galardonada con el Premio Ciudad de Barcelona. Promotora de actividades de divulgación, en particular, relacionadas con el Día Internacional de la Luz. Desempeña una labor sostenida de liderazgo y servicio a la comunidad óptica, en particular de los países latinoamericanos. Ha servido a la Comisión Internacional de Óptica (ICO), OPTICA (antes OSA), SPIE, la Sociedad Española de Óptica-SEDOPTICA, la Red Iberoamericana de Óptica (RIAO), la Sociedad Óptica Europea (EOS), y la Red Colombiana de Óptica (RCO). Ha sido representante del Comité Territorial Español de la OIC. Miembro Académico de Número de la Academia Colombiana de Matemáticas, Ciencias Físicas y Naturales. SPIE Fellow, EOS Fellow, OPTICA Senior y miembro Fellow. Maria S. Millán es Presidenta de la Sociedad Española de Óptica.

Entrevista realizada en conjunto por las integrantes del grupo de trabajo de Conoce a las Investigadoras.

¿Cuándo/cómo decidiste que querías ser científica? ¿Alguna vez, en tu trayectoria profesional, te has planteado abandonar la carrera científica?

La ciencia me atrajo siempre, desde niña. Hacía experimentos con cosas muy sencillas. Un verano me hice con unos prismáticos rotos y saqué la lente de uno de los objetivos. Focalizaba la luz solar sobre el periódico. Las zonas con tinta negra ardían enseguida. Hace mucho sol en la Comunitat Valenciana. Seguí mis estudios sin tener mucha conciencia del camino que iba recorriendo. Las personas que me acompañaron tuvieron un papel fundamental: primero, la familia, y luego, los profesores y los compañeros de equipo. Yo tuve apoyo en los momentos decisivos. Y salud, que es muy importante, no solo la propia sino la de los más allegados.

No recuerdo haber pensado nunca en abandonar, a pesar de las dificultades. Procuro pensar cómo salir adelante con los medios a mi alcance. Es cierto que, a veces, necesitas un manual de supervivencia. Cuando leí el título del segundo webinar del Programa Mentoras "Cómo avanzar en tu carrera profesional: vivir, no sobrevivir", no pude evitar una sonrisa de complicidad.

De todos los proyectos de investigación en los que te has embarcado, ¿cuál ha sido tu favorito y por qué?

No podría decir uno solo. Lo dejaré en tres, todos sobre procesado de la información óptica o técnicas de la imagen. El primer proyecto, de reconocimiento óptico de formas, fue en el que hice mi doctorado y di los primeros pasos como investigadora independiente; después, ha evolucionado hacia la encriptación de señales y seguridad óptica. El segundo es el procesado de imagen de superficies texturadas, en el que desarrollamos aplicaciones a la industria textil. Esta línea nació por nuestro entorno en el Campus de Terrassa. El tercer proyecto surgió al abrirse la vía al doctorado a partir del grado en Óptica y Optometría. Conecta con la óptica de la visión y la oftalmología. Son líneas con un fuerte componente experimental y multidisciplinar.

A lo largo de tu etapa formativa, habrás sido consciente de que en las carreras STEM la presencia de mujeres con respecto a la de hombres es prácticamente testimonial. ¿Has sentido alguna vez que tu trabajo, o el de alguna compañera, haya sido menospreciado, o que haya tenido un reconocimiento menor por el hecho de ser mujer?

Dentro de las carreras científico técnicas, la de Física se mantiene con un porcentaje de mujeres muy bajo. No acabo de explicarme por qué. Me gusta trasladar esta reflexión a los estudiantes y dedicarle un rato de diálogo distendido, en torno al 8 de marzo o el 11 de febrero. Una breve lectura, unas bebidas y unas galletas de chocolate lo hace más fácil.

He escuchado muchos comentarios sexistas y bromas de mal gusto, pero no pasan de arañar la piel. En las cuestiones importantes, el menosprecio o el menor reconocimiento por "el hecho de ser mujer" no suele ser evidente o explícito, al menos en el ámbito científico. Puede ser tremendo y sutil a un tiempo, incluso bajo la forma de un halago, incluso de la mano de otra mujer. A veces tienes sensaciones extrañas y, más tarde, después de analizar sosegadamente en su contexto, llegas a la conclusión de que ser mujer te ha jugado en contra. Soy lenta para extraer conclusiones y, sobre todo, tengo mucho que aprender en este tema.

¿Cómo ves la situación de la investigación en Óptica en España? ¿Cuál ha sido el impacto de los recortes en Ciencia en estos últimos años?

La Óptica abarca una enorme variedad de campos y eso ayuda a sortear algunas dificultades derivadas de los recortes de financiación. La Óptica no es solo una rama del saber, sino que ejerce una función instrumental muy relevante para el progreso de otras ramas de la ciencia y la técnica. Su influencia en nuestra vida es permanente a través de la visión y de numerosos dispositivos de uso cotidiano. La celebración del Día Internacional de la Luz, cada 16 de mayo, nos lo recuerda cada año.

La inversión en Ciencia ya era baja antes de los recortes y, además, irregular. Una financiación escasa dificulta el mantenimiento de los grupos de investigación y paraliza su renovación. Faltan oportunidades para los jóvenes. Es buenísimo que salgan fuera a formarse durante un tiempo, claro, lo malo es que no tengan oportunidades para volver o que la vuelta sea a costa de sacrificar las expectativas en el terreno profesional. También es muy triste para los investigadores senior.

¿Cómo crees que va a evolucionar la situación después de la pandemia del coronavirus: crees que a partir de ahora la inversión en ciencia va a ser más protagonista?

No me hago ilusiones. Una cosa es quedar bien, aprovechar la inmediatez de un buen resultado, etc. …. Y otra cosa muy distinta es tomárselo en serio y afrontar las deficiencias estructurales, algunas de las cuales no requieren un aumento de inversión. Me refiero, por ejemplo, a la excesiva burocratización que padecemos, a la falta de una financiación basal para los grupos con un rendimiento estable, a la falta de orden y regularidad en las convocatorias... Pero, sobre todo, me refiero a la enseñanza y, en particular, al papel de las matemáticas y la ciencia en la enseñanza pública preuniversitaria, que debería estar consensuada entre las formaciones políticas con opciones de gobierno. El "tejido científico" es de las cosas que aporta más beneficios a un país, a su sector productivo, a la salud, a su sostenimiento económico, ... pero no se improvisa. Es una pena que no sepan verlo porque las personas de ciencia suelen ser muy vocacionales, comprometidas y entregadas. Lo llevan dentro. La inversión en ciencia da buenos frutos y abundantes.

¿Nos hablas un poco de las actividades de SEDOPTICA? ¿Qué actividades piensas impulsar? Y, en particular, ¿cómo contribuye SEDOPTICA a paliar la brecha de género en este campo?

Los integrantes de SEDOPTICA tienen sus propias iniciativas en pro del desarrollo de la Óptica y la Fotónica, sus aplicaciones en todos los ámbitos de la ciencia, la tecnología y la vida, incluyendo las actividades de sensibilización. Con el equipo directivo, me he propuesto trabajar en tres líneas: la primera, de proyección interna, para que los socios, los comités y las entidades colaboradoras se sientan estimulados, reconocidos y beneficiados por estar en SEDOPTICA; la segunda línea es de comunicación, orientada a impulsar nuestras publicaciones, congresos, portal de internet, canales de transmisión científica y colaboración en red; finalmente, la tercera línea es de proyección externa, para que SEDOPTICA mantenga y amplíe su actividad junto con otras sociedades afines en ámbito nacional e internacional. Son líneas en las que he venido trabajando desde la etapa anterior. Pero, a todo esto, llegó el coronavirus de sopetón, y nos ha metido de lleno en la transformación digital y la comunicación mediante entornos virtuales.

El Área de Mujeres en Óptica y Fotónica de SEDOPTICA, con apenas dos años de experiencia, realiza una gran actividad para dar mayor visibilidad al trabajo de investigadoras y profesionales, fomentar la vocación científica femenina y contribuir, con estudios y un foro de debate, al desarrollo de la mujer en la ciencia. De ese debate surgen nuevas políticas de actuación tendentes a paliar la brecha de género. Quiero destacar la reciente aprobación, por la Junta de Gobierno de SEDOPTICA reunida el 22 de abril, de las recomendaciones para evitar el sesgo de género en la organización de eventos científicos.

En la historia de SEDOPTICA ha habido 3/19 (16%) mujeres presidentas, siendo tú la tercera de ellas, crees que esa proporción representa al número de mujeres investigadoras/académicas/profesionales de la Óptica y la Fotónica en España?

Hay pocas mujeres en la lista de presidentes de SEDOPTICA y confieso que sentí esa presión interior cuando me propusieron la candidatura a la vicepresidencia, hace tres años y medio. La parte positiva es la evolución: desde la creación de SEDOPTICA en 1968, hace 52 años, pasó casi la primera mitad de su historia hasta que María Josefa Yzuel llegó a la presidencia (1993-1996); las dos siguientes estamos en la segunda mitad. Espero que la participación de mujeres se vaya normalizando en todos los cargos de responsabilidad y representación de la sociedad. En estos momentos, la tercera parte de la Junta de Gobierno y cuatro presidencias de los once comités de SEDOPTICA están ocupadas por mujeres.

¿Crees que se debería empezar a abordar el problema desde el marco del constructivismo social (prácticas culturales y/o sociales), o más concretamente desde las propias organizaciones?

Hay que trabajar en todos los niveles, social, cultural, organizativo,... y aún diría que es esencial trabajar en el interior de cada persona. Nos hace falta conocer mejor el problema, nuestras reacciones e impulsos, las estructuras mentales que arrastramos y transmitimos, opuestas en ocasiones a lo que decimos querer. Es algo que siento alguna vez y me lleva a reflexionar.

En vuestro grupo habéis contado con doctorandos y doctorandas cuyo país de procedencia es muy diverso. ¿Has tenido constancia de diferencias en el papel y percepción de la mujer en la carrera científica según el país de origen?

He notado esas diferencias, pero no solamente en el trato con estudiantes de doctorado. También entre profesores, gestores, personal de universidad y centros de investigación. Quiero señalar que a menudo pensamos que la mujer tiene más dificultades en los países latinos o menos desarrollados económicamente. Debemos quitarnos ese complejo. No es nada extraño encontrar verdaderas trabas y actitudes de menosprecio hacia el trabajo científico de la mujer en países muy desarrollados, en sociedades que parecen garantes de todos los derechos... quién lo diría, ¿verdad? Yo he dado los peores "zascas" en los ambientes de supuesta superioridad, son insufribles, no me he podido aguantar.

Actualmente compaginas tu actividad investigadora con la docencia en el ámbito universitario. ¿Crees que la diferencia que hay en el interés por las carreras científicas se hace palpable desde edades tempranas?

Eso dicen...pero me cuesta aceptarlo. Es una estupidez minusvalorar la inteligencia y la ilusión que mueve a nuestros jóvenes porque vengan envueltas en una mujer o en un hombre, o por cualquier otra condición personal o social como la orientación sexual, la raza, la religión, el origen geográfico, la lengua, la solvencia económica o la capacidad física. Y no me refiero solo a las personas dotadas de una gran inteligencia, incluyo a la gente de ingenio corriente que ama la ciencia. No podemos desperdiciar el talento y ni el buen trabajo.

Desde hace años diriges un grupo de investigación, el Grupo de Óptica Aplicada y Procesado de Imagen de la Facultad de Óptica y Optometría de Terrassa (UPC). ¿De qué forma consideras que podría influir la diversidad de género y la inclusión de la mujer en el liderazgo dentro de este tipo de organizaciones? ¿Cómo crees que se puede estimular la representación femenina en cargos con alta responsabilidad?

Es necesario, desde luego. Me preocupa que, con el compromiso, la sobrecarga de trabajo también aumenta. Se puede llegar al bloqueo. A veces y quizás por un sentido que prima la responsabilidad frente a la propia visibilidad, las mujeres no asumen cargos para los que están plenamente capacitadas, ¡aunque realicen las mismas tareas!. No se me ocurre más que escuchar y hablar con las personas que pueden asumir ese liderazgo, invitar, confiar, resistir.

De tu experiencia primero como investigadora junior, y luego como senior, con más responsabilidades a la hora de coordinar y liderar un equipo, ¿se nota diferencia entre géneros? ¿Esperamos cosas diferentes según seas un jefe o jefa?

Estoy tentada a decir que la "jefa" busca la adhesión de los miembros y cohesión del grupo, que valora más una relación de trabajo basada en la cooperación que en la dependencia jerárquica. Pero conozco compañeros que actúan así también, son excelentes. Y mujeres con actitudes poco claras... hay espacio por recorrer.

Echando la vista atrás y en relación a tu carrera formativa, ¿cambiarías o harías algo de manera diferente si pudieras volver al pasado? ¿qué consejo le darías a una joven que busca iniciarse en la rama de la investigación?

A una joven que quiere investigar, primero la animaría y la felicitaría porque es una aspiración muy noble. Le daría la bienvenida. Le diría: no temas al trabajo -aunque tendrás que esforzarte mucho- porque el trabajo bien hecho te dará una gran satisfacción. Va bien tener una persona de referencia, alguien que conozca este mundillo para consultarle con confianza ante algunas (in-)decisiones.

No soy de mirar al pasado para decir "tendría que haber hecho esto o lo otro...". Cuando tomo una decisión, cargo con ella. No obstante, creo que me habría ido bien un postdoc fuera, de uno o dos años. No pudo ser, pero no lo cambiaría, tengo una familia que me da muchas alegrías.

Agosto 2020 -

Entrevista a Ana Isabel Gómez Varela

Ana I. Gómez Varela

es licenciada en Física con la especialidad en Optoelectrónica y doctora en Fotónica y Tecnologías del Láser por la Universidade de Santiago de Compostela (USC). Actualmente forma parte del grupo de investigación Photonics4Life de la Universidade de Santiago de Compostela como investigadora Ramón y Cajal. En su tesis doctoral se dedicó a explorar el uso de materiales ópticos activos de GRadiente de ÍNdice (GRIN) para el conformado de haces láser. Realizó una estancia posdoctoral en el Laboratorio Ibérico Internacional de Nanotecnología en Braga, Portugal, estando su investigación centrada en el diseño y aplicaciones de una nueva plataforma combinada de microscopía de súper-resolución de iluminación estructurada (SR-SIM) y mapeo cuantitativo de propiedades mecánicas a escala nanométrica mediante microscopía de fuerzas atómicas (QI-AFM) para, por ejemplo, estudios dinámicos del transporte intracelular. Actualmente, sus líneas de investigación más destacadas comprenden el diseño y fabricación de dispositivos biomédicos mediante procesos láser, como la ablación láser o la polimerización por dos fotones.

Ha sido presidenta y vicepresidenta de los grupos USC-OSA Student Chapter y USC-EPS Young Minds Sections, centrados en la realización de actividades de divulgación en Óptica y en Física, y actualmente es editora asociada de la revista Óptica Pura y Aplicada. También forma parte del Área de Mujer en Óptica y Fotónica de SEDOPTICA, donde es coordinadora del programa mensual de entrevistas "Conoce a las investigadoras". Siguiendo con el ámbito de la divulgación, también ha participado en el desarrollo de aplicaciones virtuales para estudiantes de diferentes niveles educativos.

Entrevista realizada por Verónica González.

Cuéntanos brevemente de qué va tu investigación.

Mi investigación actual está centrada en el diseño de nuevos sistemas de microscopía para el estudio de muestras biológicas. En particular, en mi grupo hemos estado trabajando en la combinación de un microscopio óptico con un microscopio de fuerzas atómicas (AFM), un tipo de microscopio de barrido por sonda basado en la interacción local entre una punta muy fina y la superficie de una muestra. El microscopio óptico utilizado en este caso es un microscopio de súper-resolución de iluminación estructurada (SR-SIM) que se basa en la proyección de diferentes patrones sobre una muestra y registro de una imagen para cada uno de dichos patrones, a partir de las cuales se obtiene la imagen final aplicando un algoritmo de reconstrucción avanzado. Con este instrumento se puede "romper" el límite de difracción y prácticamente doblar la resolución de los microscopios convencionales. Combinar diferentes tipos de microscopios es algo cada día más habitual e interesante, ya que nos permite obtener información complementaria sobre una muestra, algo que no sería posible usando un único sistema. La combinación AFM y SR-SIM es especialmente interesante porque permite que ambos sean operados de forma simultánea, lo cual muchas veces es complejo o prácticamente imposible de conseguir con otras técnicas de súper-resolución.

También he estado trabajando en el uso de la técnica conocida como espectroscopía de correlación de fluorescencia (FCS) aplicada a la caracterización de sistemas liposoma/ADN (lipoplejos), importantes por sus aplicaciones como vectores no víricos usados en transfección celular. Asimismo, otro de los proyectos en los que estoy involucrada ahora mismo está relacionado con el diseño y la fabricación mediante láser de sistemas de microfluídica para aplicaciones biológicas.

¿Qué te llevó a interesarte por la física? ¿Cómo te interesaste por la investigación? ¿Ha habido alguna persona determinante para ello, o, por el contrario, alguien que haya intentado desanimarte?

Yo diría que la ciencia me ha interesado desde siempre y esto se lo debo principalmente a mi madre. Ella es bióloga y en mi casa desde pequeñas nos inculcaron el amor a la ciencia. Siempre me ha asombrado su capacidad para aprender cosas nuevas y su curiosidad constante. Hizo la tesis cuando yo aún estaba en el instituto con un gran esfuerzo para conciliar y creo que eso ha sido algo fundamental en la dirección laboral que finalmente tomé una vez acabada la carrera. Lo de dedicarme a la física fue algo que decidí el año antes de empezar la carrera, no es algo que siempre hubiera tenido claro pero ese año disfruté mucho con las clases y creo que eso despertó mi curiosidad y ganas de saber en ese campo.

En cuanto a la investigación, siempre me he sentido animada a continuar en ella tanto por mi entorno familiar como por los compañeros con los que he ido coincidiendo a lo largo de las diferentes etapas de la carrera científica. Diría que empecé a valorar dedicarme a la investigación mientras realizaba el Máster en Fotónica y Tecnologías del Láser en la USC. Disfruté mucho de las asignaturas del máster y al acabar el curso surgió la oportunidad de incorporarme a un proyecto en uno de los grupos de investigación, donde pude ver de cerca en qué consistía realmente su trabajo. En dicho grupo encontraría a dos de las que son mis referentes femeninas en investigación y con las que me he formado en mi carrera científica.

¿Te costó mucho encontrar financiación para realizar tu tesis? ¿Crees que la situación mejora o empeora?

Tuve mucha suerte y no me costó especialmente encontrar financiación para realizar mi tesis, comencé primero como contratada con cargo a un de investigación y luego me concedieron una beca de Formación de Profesorado Universitario (FPU).

Sin embargo creo que la situación para quienes quieren dedicarse a la investigación es cada vez más difícil. En mi opinión, la falta de financiación y las dificultades existentes a la hora de conseguir una cierta estabilidad laboral a medio e incluso largo plazo hacen que se pierda un número importante de vocaciones científicas. El número de contratos y ayudas para realizar una tesis doctoral es insuficiente para cubrir la demanda de estudiantes con interés en comenzar una carrera investigadora.

Tu etapa postdoctoral te llevó a Portugal, ¿has visto una forma diferente a cómo se hace investigación en España?

En el entorno que yo me he movido y con los grupos de investigación con los que he tenido la oportunidad de colaborar, diría que la forma de investigar es parecida a la que conozco en España. Son muy serios, competitivos y con grandes ideas, pero también se enfrentan continuamente a la falta de financiación y exceso de burocracia.

Esa etapa postdoctoral también te llevó a una conciliación familiar un poco complicada, ¿podrías contarnos un poco cómo tomaste esa decisión y como lo vivisteis? ¿Qué medidas propondrías para mejorar la conciliación?

Cuando acabé la tesis sentía que tenía que tomar una decisión sobre si seguir apostando por la investigación o no. De hecho, unos meses después tuve una oportunidad laboral que acepté y que en principio podía suponer una vía hacia una cierta estabilidad laboral. Pero durante ese período me concedieron una ayuda para realizar una estancia posdoctoral fuera de España y decidí aceptarla. Tuve muchas dudas a la hora de hacerlo y si no hubiera sido por el apoyo de mi pareja y familia seguramente habría acabado rechazándola. En ese momento nuestra hija estaba a punto de cumplir dos años e irme suponía que o su padre o yo dejaríamos de estar a diario con ella durante al menos dos años. Finalmente se vino conmigo porque tenía guardería en el propio centro de investigación y la conciliación era mucho más fácil. Mi segundo embarazo también lo viví durante esta etapa y hubo momentos en los que fue duro, siempre tenía una sensación constante de culpabilidad y de no poder atender bien ni al trabajo ni a mis hijas. No puedo negar que la idea de abandonar me pasó varias veces por la cabeza pero siempre he recibido un apoyo constante por parte de mi pareja y familia para seguir peleando por lo que me gusta. ¡Y además soy testaruda! 😉

Está claro que conciliar no es fácil y supongo que no hay solución perfecta, pero creo que hay muchas cosas que se pueden hacer para facilitar la conciliación entre vida personal y laboral. Es evidente que es necesario que la sociedad haga un esfuerzo para desarrollar más recursos y estructuras dedicados a los cuidados de personas dependientes. Entre ellas destacaría la ampliación de permisos, flexibilidad horaria y teletrabajo (regulado) cuando sea posible y permisos de gestación de maternidad y paternidad, entre otros. Asimismo, creo que es importante que los espacios de trabajo sufran modificaciones y que cuenten con, por ejemplo, salas de lactancia y guarderías.

¿Qué me dices de los otros problemas asociados a sesgos de género y precariedad laboral? ¿Cuáles serían, en tu opinión, las medidas más eficaces para solucionar este claro desequilibrio?

Creo que las políticas de igualdad juegan un papel importantísimo en la lucha contra los sesgos de género en el ámbito laboral. Por ejemplo, considero importante que las convocatorias y sistemas de evaluación incorporen medidas que eviten que la maternidad y paternidad penalicen a las investigadoras e investigadores, así como que se garantice la igualdad de oportunidades. Es preocupante también que siga habiendo una diferencia salarial entre hombres y mujeres que ocupan el mismo puesto de trabajo. En este caso, creo que la flexibilidad horaria para cuidadores y publicación de tablas salariales por sexo puede influir positivamente.

Es importante que sigamos visibilizando esta problemática y trabajar para eliminar ciertas actitudes que tenemos tan interiorizadas como que sea normal seguir trabajando durante un permiso de maternidad o renunciar a nuestra vida personal para mantener el nivel de competitividad frente a otros compañeros y compañeras.

¿Has sido testigo de algún tipo de discriminación o diferencia en el trato que se le da a hombres y mujeres que ocupan un cargo similar? ¿Tienes la sensación de haber tenido que trabajar más que tus compañeros para lograr un reconocimiento similar?

Tanto durante mi etapa predoctoral como en la posdoctoral, no he tenido la sensación de haber sufrido discriminación en cuanto a mis compañeros pero sí que he sido testigo de cómo el número de mujeres se iba reduciendo a medida que avanzaba en la carrera investigadora y cómo los hombres superaban ampliamente a las mujeres en los puestos de más responsabilidad (investigadores principales, jefes de grupo, etc.). Personalmente, diría que uno de los momentos en lo que más discriminación sentí fue durante la realización de la carrera de Física. Durante años mis compañeras y yo escuchamos muchos comentarios sexistas y bromas que no nos hacían sentir precisamente bien, tanto por parte de hombres como de otras mujeres. Puede parecer algo poco importante pero la verdad es que eran comentarios habituales referidos principalmente al aspecto de las mujeres en física y a que no éramos buenas en campos como ese. Sinceramente, creo que nunca entendieron por qué aquellas "bromas" eran molestas para nosotras y eso es algo que tiene que cambiar en la sociedad. Por ello son tan importantes las iniciativas actuales para visibilizar a las mujeres, tanto a aquellas que se dedican profesionalmente a la ciencia como en otros campos, y para eliminar ese techo de cristal que tanto cuesta romper.

En base a tu experiencia, ¿qué consejo le darías a una joven que busca iniciarse en una carrera investigadora?

A una joven que quiera dedicarse a la investigación le diría que es un mundo muy gratificante pero también complejo y en el que lo más probable es que se tenga que enfrentar a numerosos desafíos, algunos de ellos estrictamente científicos y otros como la búsqueda continua de financiación y la falta de estabilidad laboral, al menos tal y como está planteado el sistema que actualmente conocemos.

Le diría que es fundamental elegir bien el grupo donde va a hacer la tesis doctoral y en el que primaría que fuera un grupo con buena capacidad investigadora y captación de recursos, pero también un grupo en el que se valore principalmente a las personas y en el que estén dispuestos a guiarla durante los inicios de la carrera investigadora. Y, por supuesto, que valore bien la temática de investigación a la que le gustaría dedicarse.

También le diría que lo importante es dedicarse a lo que le gusta, está claro que no siempre es posible y luego cada una tiene sus propias circunstancias, pero que te guste tu trabajo es lo que va a hacer que, a pesar de las dificultades y decepciones a lo largo del camino, sigas adelante peleando por aquello en lo que crees.

Octubre 2020 -
Entrevista a Azahara Almagro (FYLA) y Nerea Otero (AIMEN)

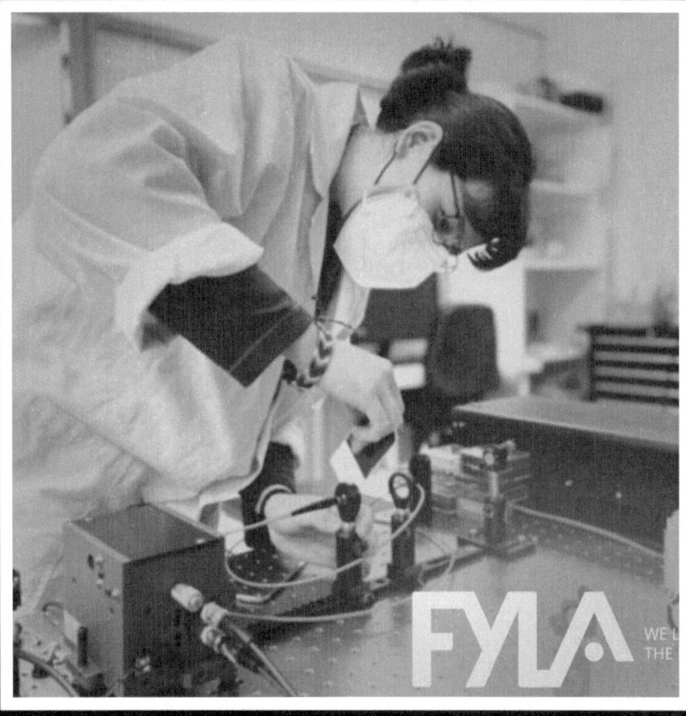
FYLA

Azahara Almagro *(AA)*
se graduó en Física en la Universidad de Córdoba en 2015 y cursó el máster en Física y Tecnología de los Láseres de la Universidad de Salamanca durante 2015 y 2016. De 2016 a 2018 trabajó en un proyecto para la optimización de la homogeneidad de la luminancia en las "Luces de Conducción Diurna" en el Grupo Complutense de Óptica Aplicada de la Universidad Complutense de Madrid. Entre 2018 y 2023 realizó un doctorado industrial en el desarrollo de láseres de fibra de pulsos ultracortos de supercontinuo coherente con la empresa FYLA LASER, en la que actualmente continúa su labor científica.

Nerea Otero *(NO)*

Ingeniera industrial con la especialidad en Materiales, por la Universidade de A Coruña, en la EPS de Ferrol. Realizó una estancia en 2006 en la Universidad de Stuttgart, colaborando en un proyecto de investigación para el desarrollo de nuevos materiales compuestos de matriz metálica. Posteriormente, cursó el tercer ciclo de estudios avanzados en Ciencia de los Materiales en la Universidad de Vigo. Desde 2008 es investigadora en AIMEN, empezó trabajando en la soldadura láser de nuevas aleaciones de base níquel y posteriormente colaboró en el desarrollo de procesos de conformado asistido por láser de aceros para el sector automotriz. Ha participado en múltiples proyectos nacionales y europeos como investigadora en el campo del microprocesado de metales, semiconductores, polímeros y composites mediante tecnología láser. Desde el 2012 ha coordinado y gestionado varios proyectos de investigación centrados en la funcionalización de superficies por láser. En 2014 realizó una estancia en la Universidad de Birmingham, como investigadora senior externa, centrándose en el procesado de vidrio recubierto con ITO con láser de femtosegundos para aplicaciones electrónicas. Posee diversas publicaciones científicas y contribuciones a congresos internacionales. Desde el 2014 es líder del grupo de Aplicaciones Láser de Microfabricación Avanzada, cuyo objetivo principal es la transferencia a la industria de la tecnología láser para funcionalización de superficies, micro mecanizado 3D y fabricación aditiva de alta resolución mediante fotopolimerización.

Entrevista realizada por María Viñas.

Contadnos brevemente vuestra formación científica y a qué os dedicáis en vuestra empresa.

AA: Mi formación científica comenzó con el grado de física en la Universidad de Córdoba (mi ciudad natal y donde he crecido), después del cual cursé el máster en Física y Tecnología de los Láseres en la Universidad de Salamanca. Poco después de acabar el máster comencé a trabajar en el campo de la investigación en óptica, pero un poco más alejada de los láseres de lo que a mí me interesaba. Fue en una Plaza de Apoyo a la Investigación (PAI) para el grupo de Óptica de la Universidad Complutense de Madrid, dentro del marco de la Cátedra Valeo. Después de esa experiencia con la investigación en la universidad decidí que quería buscar algo más enfocado al trabajo industrial y conseguí formar parte del equipo de investigación de la empresa valenciana FYLA LASER, que se centra en la investigación y el desarrollo de láseres de fibra. Aquí estoy llevando a cabo un doctorado de tipo industrial para desarrollar láseres de fibra de pulsos ultracortos de supercontinuo coherente, además de participar en otros proyectos de investigación de FYLA.

NO: Soy ingeniera industrial de formación e investigadora de profesión en AIMEN, un centro de innovación y tecnología especializado en materiales y procesos de fabricación avanzada. Una de las principales líneas de actividad e investigación del centro donde trabajo, es la investigación en procesado de materiales con tecnologías láser. En mi caso, en particular, lidero un equipo de trabajo y nuestras líneas de investigación se centran en el microprocesado láser de materiales, fundamentalmente funcionalización de superficies complejas, micromecanizado, y fabricación aditiva mediante polimerización multifotón.

¿Cómo llegásteis a la industria? ¿Directamente al terminar vuestros estudios? ¿Erais investigadoras antes?

AA: Después del periodo de investigación en la universidad, descubrí que no me satisfacía la búsqueda que se hacía, sin un objetivo claro y real. Veo mucho más claro hacer investigación industrial, sobre equipos que deben fabricarse atendiendo a unas necesidades específicas, y por eso busqué puestos vacantes en el mundo de la empresa centrándome en el campo de los láseres, que es para lo que me había formado con el máster. Afortunadamente, no pasó mucho tiempo entre el momento en que decidí buscar un puesto con ese perfil y el momento en el que pasé la prueba de selección de mi actual empresa.

NO: Durante mis estudios, trabajé en un instituto de investigación en materiales cerámicos en Alemania y al volver, ya inicié mi andadura profesional en el Centro Tecnológico AIMEN.

Si habéis tenido un pasado científico, ¿qué diferencias encontráis entre academia e industria? ¿Bajo qué condiciones os plantearíais, o no, volver a la academia?

AA: Bueno, mucho pasado científico no tengo ya que estoy "recién salida del cascarón" prácticamente. En la Universidad Complutense estuve poco más de año y medio, y, como decía, me fui de allí porque no me gustó cómo estaba orientada la investigación "poco práctica". Por supuesto no tiene por qué ser algo genérico, ni mucho menos, y mi visión está limitada a aquella experiencia; por lo tanto, aunque no es mi principal interés ni objetivo, realmente no descarto en un futuro saltar de la industria a la universidad de nuevo si fuera necesario.

¿Cómo son los procesos de selección de vuestras empresas? ¿Y los procesos de ascenso? ¿Sabéis algo de sus políticas de igualdad?

AA: El proceso de selección, en mi caso, tuvo varias etapas porque estaban buscando a alguien para hacer el doctorado industrial, y no solo la empresa elegía a la persona sino que también el Grupo de Procesado por Láser (GPL) del CSIC tenía que decidir si daba o no el perfil (ya que era en colaboración con el GPL). Primero me hicieron dos entrevistas por teléfono al igual que a otras personas candidatas. Cuando pasé esa prueba me pidieron venir a Valencia a enseñarme la empresa y hacerme una entrevista personal. En esa visita vi que solo había hombres en la empresa y pregunté que si los que veía eran los que estaban. FYLA no es una empresa grande todavía y solo había ocho personas (creo recordar) en ese momento, todo hombres. Al hacer esa pregunta fue cuando supe que estaban buscando expresamente investigadoras, precisamente porque no querían que la empresa no tuviera mujeres; y también me comentaron que estaba siendo difícil porque, por ejemplo, a ese puesto yo era la única mujer que había enviado su CV. Cuando pasé esa última entrevista me dijeron que había sido seleccionada, y para cuando llegué a la empresa ya había otra mujer trabajando en FYLA. En las siguientes vacantes que ha habido sé que han tratado de encontrar mujeres, y en ese sentido parece que de verdad se está intentando que no solo entren hombres a la empresa. Nos dejaron muy claro a las dos que no teníamos que tolerar ningún tipo de situación machista si la detectábamos, que lo comunicásemos sin miedo porque no iban a permitirlo.

Creo que FYLA tiene una actitud correcta en este sentido, una mente abierta y un foco puesto en la igualdad. Por supuesto no todo es perfecto y a veces hay que discutir con algún compañero ideas que tienen sobre las mujeres que están un poco atrasadas, pero ¿dónde no pasa esto? En el trato, eso sí, no tenemos queja alguna: nos ven como a iguales y nos tratan de la misma manera.

NO: En AIMEN los procesos de selección son transparentes, se publica la oferta de empleo y se entrevista a todos los candidatos y candidatas que cumplan con los requisitos solicitados. En este sentido, y desde mi experiencia, puedo decir que en AIMEN la valía de la persona que opta al puesto del trabajo es considerada con independencia del género, primando el perfil curricular de la persona. Las personas que van a ser los responsables directos (líder de equipo y coordinador) del candidato, participan activamente en el proceso de selección. La política interna de AIMEN promueve la promoción interna, por lo que cuando surge un nuevo puesto o cargo, se analiza en interno qué personas dentro de la organización que tienen el perfil y experiencia requerido, pueden cubrir ese nuevo puesto o cargo; por lo que hay posibilidades de promoción dentro de la organización. AIMEN fomenta la promoción de las mujeres en puestos de responsabilidad, y potencia su participación activa en dirección de proyectos de investigación nacionales e internacionales. Actualmente, en mi organización, el 40% de la plantilla está compuesto por mujeres y la tendencia del ratio es creciente en los últimos 5 años.

Generalmente, la empresa se ha considerado un mundo muy masculinizado. ¿Habéis sentido que tenéis que hacer un esfuerzo extra para obtener los mismos recono-

cimientos que un hombre de vuestro entorno?

AA: La verdad es que en los dos años que llevo con FYLA no he sentido ese tipo de discriminación. Tampoco considero que tenga muchos logros que reconocer en tan poco tiempo, pero siempre que he aportado ideas u opiniones se han escuchado y valorado al igual que las de mis compañeros hombres. Otra cosa son los congresos y cursos en este campo, ya que siempre tiene que haber alguno que te haga de menos por ser mujer (ya sabemos todas a lo que nos exponemos, ¿no?). Ahí puede ser que sí haya notado alguna vez que no me hacían mucho caso en comparación con mis compañeros y sobre todo he notado más el tono paternalista. Pero, por suerte, no es el caso en mi entorno cercano.

NO: Dentro de AIMEN no, sin embargo, en reuniones y eventos relacionados con mi actividad profesional, sí me he encontrado con personas que me han subestimado únicamente por ser mujer.

Si lo comparas con un doctorado académico, ¿qué punto crees que es el más positivo de un doctorado industrial, y cuál el que menos te convence?

AA: El punto que veo más positivo es que no hay incertidumbre laboral. Es decir, estás haciendo el doctorado pero a la vez es requisito del mismo el hecho de que tu empresa te tenga con un contrato en condiciones. Cuando estuve en la PAI de la Complutense también me matriculé en un doctorado (el cual, por razones obvias, no terminé), pero una vez que se acabó el primer año de la PAI ya no sabían cómo mantenerme allí. Buscaron contratos extraños, fuera de lugar a veces, contratos de becaria en fundaciones que estaban asociadas de alguna forma a su grupo de investigación, pero que se terminaban cada dos meses, etc. Fue complicado y fue, en parte, lo que me hizo irme de allí. Yo no soy de Madrid, estaba viviendo allí pagando un alquiler desorbitado sin ni siquiera saber si al día siguiente me podrían pagar o no; y eso sumado a tener que hacer un doctorado, para mí fue demasiado. Por eso, la mayor ventaja que le veo al doctorado de tipo industrial, es que no existen esas dudas, hay una estabilidad laboral que cubre el periodo del doctorado y eso es realmente una fuente de tranquilidad para mí. Lo más problemático, a cambio, es que se complica la gestión de las horas que le dedicas a tu investigación. Al final, estando en una empresa las necesidades y prioridades las marcan los clientes y los proyectos, ya que son la fuente de ingresos que nos mantiene. Por tanto, si hay que acabar primero alguna tarea que sea urgente, eso va por delante de tu doctorado casi siempre. Por suerte, en mi caso no es habitual que esto ocurra ya que mi tutor en la empresa es también mi director de tesis y se preocupa de que ambas cosas se puedan desarrollar en paralelo lo más posible.

Noviembre 2020 -

Entrevista a Ana López Hernández

Ana López Hernández

es doctora en "Ingeniería Química Ambiental" por la Universidad Politécnica de Madrid. Durante su doctorado realizado dentro del Grupo de Óptica, Fotónica y Biofoónica de esta universidad, trabajó denrto del proyecto europeo Enviguard en la optimización de biosensores ópticos sin marcado basados en nanopilares resonantes. Tras finalizar sus tesis en el 2017, participó como investigadora postdoctoral en la UPM con el proyecto europeo Allerscreening destinado al desarrollo de un sensor óptico multiplexado para la detección de alérgenos.

Posee una amplia experiencia en el desarrollo de biosensores, incluyendo técnicas como spin-coating, fotolitografía, ataques en seco y húmedo. Ha manejado equipos de caracterización como XPS, SEM, AFM y microscopía de fluorescencia. Trabaja en la detección multiplexada de proteínas, toxinas, virus y bacterias con biosensores desarrollados, usando aplicaciones biológicas como antígeno-anticuerpo y ha desarrollado estrategias de tratamiento químico para biofuncionalizar sensores de pilares resonantes, incluyendo enfoques poliméricos y modificación de superficies.

En 2019 se une al laboratorio de Khademhosseini en la Universidad de California, Los Ángeles, y en el Instituto Terasaki para la Innovación Biomédica gracias a una beca postdoctoral Marie Sklodowska Curie. Durante su estancia desarrolló un proyecto de investigación para la detección de biomarcadores de cáncer de mama.

Entrevista realizada por Beatriz Santamaría.

Vemos que tus orígenes son las ciencias ambientales, ¿cómo se relacionan tus estudios con la óptica? ¿En qué consiste tu investigación?

En efecto, yo soy ambientóloga. El hecho de que actualmente me dedique a la investigación en el ámbito de los biosensores es pura casualidad. De hecho, nunca pensé en ello. Después de estudiar ambientales en la Universidad Autónoma de Madrid (UAM), hice un máster oficial en Calidad de Aguas que impartía de manera conjunta la UAM y la Malardalen University (en Suecia). El Trabajo Fin de Máster (TFM) debía realizarse en cualquier institución pública europea y por casualidad vi que la UPM, en concreto el grupo de Óptica, Fotónica y Biofotónica que lidera Miguel Holgado, ofertaba un TFM orientado a la detección del rotavirus en aguas continentales. En la primera entrevista que tuve con Miguel Holgado, él no hacía más que hablarme de biosensores label-free, transductores, respuesta óptica, entre otros, y, sinceramente no entendía casi nada. Sin embargo, la pasión con la que me contaba las cosas era tal que consiguió cautivarme y decidí adentrarme en este apasionante mundo. El TFM resultó tener una perspectiva mucho más técnica de lo que yo esperaba y se centraba en el funcionamiento del sensor y no en el aspecto ecológico derivado de la contaminación de los ríos con el rotavirus. Sin embargo, el tema me atrapó por completo. Cuando acabé el TFM, el grupo consiguió un proyecto europeo para el desarrollo de un biosensor para la detección de contaminantes en aguas marinas (Envigurad). Cuando se me ofreció quedarme en el grupo para realizar el doctorado dentro de este proyecto, no me lo pensé dos veces. Durante la tesis trabajé en el desarrollo de un transductor óptico basado en redes de nanopilares para la detección de moléculas de bajo peso. Esta misma tecnología es la que utilizo en el proyecto que estoy realizando actualmente, pero en este caso las moléculas a detectar son biomarcadores de cáncer de mama. Como he dicho yo no pensaba dedicarme a la investigación, sin embargo, ahora no me veo haciendo otra cosa.

El año pasado te concedieron la beca Marie Curie Fellowship para una estancia postdoctoral en Estados Unidos, ¿qué consejos darías a investigadoras que quieran optar a estas becas? ¿Cómo preparaste la propuesta, qué es lo que te ayudó?

Una Marie Cure Fellowship es una gran oportunidad, pero también supone un gran reto ya que implica abandonar tu país durante al menos dos años y no todo el mundo está dispuesto a realizar este cambio. Como primer consejo diría que hay que estar seguras de lo que se quiere conseguir y analizar cuáles son los coste-beneficio de esta beca. Si deciden solicitarla, es fundamental no solo centrarse en la idea científica del proyecto, que debe ser novedosa pero alcanzable, sino también en darle una mayor importancia a la escritura de la propuesta. Para redactar la propuesta hay que estar muy centrado, ya que hay que atar muchos cabos y concretar muchos detalles. El estar en constante contacto con la universidad de destino para que ayuden con la propuesta es muy aconsejable. En mi caso tuve la suerte de que la UPM proporcionaba ayudas dentro de Programa Propio para poder viajar a la universidad de destino y trabajar en persona con ellos en la propuesta. La universidad también me facilitó una consultora que me asesoró sobre la escritura de la misma. Pero si no se disponen de estas ayudas también es posible conseguir la beca.

Hay mucha información en la red sobre cómo escribir la propuesta. Yo personalmente me metía casi todos los días en la página de la ERC (European Research Council) y leía casi todo lo que podía sobre lo que la Comisión Europea entendía por 'excelencia', 'implementación' y 'comunicación', entre otros conceptos clave que tienen que estar muy bien descritos en la propuesta. Se trata de hablar el mismo idioma que la Comisión y que cuando los evaluadores lean la propuesta, sepan que realmente entiendes de lo que estás hablando.

Imagino que el cambio cultural y el modo de trabajo en EEUU difiere respecto al español ¿Podrías indicarnos qué es lo que más te ha llamado la atención? ¿Es el tiempo de dedicación burocrática (compras, justificación de proyectos, auditorías, etc.) igual de alto que en España?

Efectivamente la manera de trabajar y organizarse es diferente, pero lo que tengo claro es que el nivel de trabajo que existe en mi grupo de investigación de España no tiene nada que envidiar al de la UCLA. Aquí tienen lugar muchas más reuniones durante la semana, son como reuniones cortas de estatus para que los jefes sepan cómo van las cosas y para que tus compañeros conozcan lo que estás haciendo. Esto facilita el que surjan sinergias y nuevas colaboraciones. Está muy bien. Otra cosa que me gusta de aquí es que todas las semanas el grupo de investigación se reúne para hablar sobre ideas nuevas. Si a alguien se le ocurre algo que científica y tecnológicamente puede tener impacto, se comparte con los demás para mejorar esa idea y pedir un posible proyecto. En mi opinión, es una iniciativa muy bien pensada. La concesión de mi beca implica también, como parte de la formación, que yo me haga cargo de todo el trabajo relacionado con la gestión del proyecto.

Por ello, yo personalmente sí que dedico mucho tiempo al tema de facturas y justificaciones. Sin embargo, mis compañeros de EEUU, postdocs contratados directamente por el laboratorio, no se tienen que encargar de nada burocrático. Tenemos una plataforma donde se hacen los pedidos y el administrador del grupo de investigación es quien se encarga de gestionar todo el tema de las facturas, albaranes, recibos y demás. En ese sentido, aquí se vive mucho mejor. Es lógico ya que hay más recursos.

El tema de la igualdad de género está más en auge que nunca, ¿has sufrido o notado algún tipo de discriminación por el hecho de ser mujer en el ámbito laboral?

En el día a día, tanto en mi grupo de España como en el de aquí, he tenido la suerte de trabajar con equipos mixtos y afortunadamente nunca me he sentido discriminada profesionalmente por mi género. Sin embargo, actualmente estoy embarazada y me gustaría destacar lo profundamente decepcionada que estoy con la Comisión Europea en este sentido. Recientemente he descubierto que, durante el permiso de maternidad, el proyecto ha de suspenderse. En otras palabras, durante esta baja no existe proyecto y, por tanto, todas las cuotas de seguridad social que se realizan durante las bajas no se pueden pagar desde ese proyecto, lo que supone un verdadero problema para la Universidad. A pesar de que con el alta el proyecto se reanude, ese dinero nunca se recupera. A día de hoy, aún no se cómo vamos a solucionar esta situación para que yo pueda disfrutar de mi permiso de maternidad y lo percibo como una clara discriminación de género por parte de la Comisión Europea en cuanto al planteamiento que tiene con este tipo de becas, sin duda un hecho para denunciar.

¿Has notado alguna repercusión de la pandemia del coronavirus en la investigación estadounidense?

Creo que actualmente no hay ningún grupo de investigación en el mundo que no se haya visto afectado por la pandemia. Durante la primavera pasada la UCLA estuvo completamente cerrada y esto ha supuesto un importante retraso en mi trabajo de investigación que aún intento poner al día. Desde el verano, afortunadamente dentro de mi grupo se ha recuperado el ritmo de trabajo por completo, pero sé de otros grupos que aún no han reanudado la actividad en su totalidad. Además, el movimiento de investigadores de un país o universidad a otra se ha visto totalmente interrumpido y eso a mi parecer empobrece a las universidades y en última instancia a la ciencia, pero hasta que no abran fronteras y no sea seguro trabajar en espacios cerrados con diversas personas, la situación seguirá así.

Por último, ¿cómo ves tu vuelta a España? ¿Crees que actualmente las estancias en el extranjero juegan un papel decisivo para la búsqueda de empleo dentro del campo de la investigación en España?

Afortunadamente mi vuelta a España está garantizada con la beca que tengo, que implica que el último año del proyecto se desarrolla en la universidad de origen en Europa, en mi caso en la UPM. Cuando finalice este tercer año de beca, entonces tendré que ver cuáles son mis opciones, todo dependerá de la actividad científica que haya tenido. En principio, sí creo que una estancia de dos años en el extranjero es una ventaja a la hora de encontrar puestos de investigación interesantes. Sin embargo, soy consciente de que, si no hay recursos, da igual la estancia o el currículum que tengas, las condiciones en España van a ser precarias. Creo que se puede desarrollar una carrera investigadora en

España, pero en cuanto se comparan las condiciones y la seguridad laboral que se ofrecen en otros países como USA o Países Bajos (que son los países donde he estado de estancia), entonces te das cuenta de que España está lejos de ese nivel de estabilidad. Espero que las instituciones despierten y se le dé a la investigación la importancia que se merece, para así poder disfrutar de los fantásticos científicos formados en España sin que estos se vean obligados a emigrar.

Diciembre 2020 - **Entrevista a Laura M. Lechuga Gómez**

Laura M. Lechuga Gómez

estudió Ciencias Químicas en la Universidad de Cádiz y obtuvo el doctorado por la Universidad Complutense de Madrid, realizado en el Centro Nacional de Microelectrónica del CSIC. Es Profesora de Investigación del CSIC, y Jefa del Grupo de Nanobiosensores y Aplicaciones Bioanalíticas en el Instituto Catalán de Nanociencia y Nanotecnología (ICN2) en Barcelona.

Su área científica de investigación se centra en la Nanomedicina y el Nanodiagnóstico y el desarrollo tecnológico de Biosensores fotónicos para el diagnóstico clínico y medioambiental descentralizado, siendo considerada una de las expertas mundiales de dicha área. Ha publicado más de 300 trabajos de investigación, posee 8 familias de patentes y cuatro secretos industriales, ha impartido más de 490 conferencias invitadas en todo el mundo y ha sido co-fundadora de dos empresas innovadoras.

A lo largo de su exitosa carrera ha recibido numerosos premios y distinciones, entre otros, los dos premios científicos más prestigiosos de España, como son el Premio Nacional de Investigación 2020 en Transferencia de Tecnología (primera mujer en recibirlo) y el Premio Rey Jaume I en Nuevas Tecnologías en 2020. También ha recibido el Premio Física, Innovación y Tecnología de la Real Sociedad de Física y la Fundación BBVA; el Premio Ada Byron 2020 de la Universidad de Deusto; el XVIII Premio de Investigación Burdinola; El Premio Nacional de Nanotecnología 2022; el Premio del Plan Nacional de Resistencia a los Antibióticos; Premio de la Lung Ambition Alliance y Astrazeneca. Es doctora "Honoris Causa" por la Universidad de Cádiz y por la Universidad de León.

Entrevista realizada por Martina Delgado.

Enero 2021 -
Entrevista a Inmaculada Pascual

Inmaculada Pascual

Licenciada en Ciencias Físicas (1985) por la Universidad de Granada y Doctora en Física (1990) por la Universidad de Valencia. Desde 2000 es Catedrática de Universidad del área de Óptica en la Universidad de Alicante (UA). Su labor investigadora se desarrolla en el campo de la holografía, fundamentalmente en materiales de registro holográfico como fotopolímeros o hidrogeles. Actualmente se desarrollan y estudian materiales versátiles con buenas propiedades holográficas, medioambientalmente compatibles o que incluyan nanopartículas y que puedan ser modificados según la aplicación (elementos ópticos holográficos y difractivos, memorias, guías de onda, hologramas de seguridad, sensores, concentradores, visores holográficos, etc. Los principales logros científicos obtenidos en todos estos campos incluyen más de 200 artículos en revistas científicas de reconocido prestigio, presentando 250 comunicaciones y ponencias en congresos nacionales e internacionales. También ha dirigido 8 tesis doctorales, varios TFGs y TFMs. Ha sido directora de departamento entre 2005 y 2013; coinventora de 3 patentes; e investigadora principal de 8 proyectos de investigación y de 10 ayudas complementarias y otras ayudas de investigación financiados por el Ministerio, la Generalitat Valenciana y la UA; también ha sido miembro del equipo investigador de otros proyectos entre los que destaca un proyecto financiado por la Unión Europea. Ha participado en una veintena de contratos con empresas relacionados con la fabricación de redes holográficas para prácticas de laboratorio. Es miembro de distintas sociedades, SPIE (Fellow Member), OPTICA (Senior Member). la Sociedad Española de Óptica, la Real Sociedad Española de Física y la European Optical Society.

Entrevista realizada por Paloma López.

¿Nos podrías contar en qué consiste tu investigación?

Mi investigación se desarrolla en el campo de la holografía donde tradicionalmente se han caracterizado distintos tipos de materiales holográficos orientados a diferentes aplicaciones como han sido los elementos ópticos holográficos y difractivos, el almacenamiento de datos, memorias holográficas, el procesado óptico de información y actualmente los sensores y los concentradores de luz.

Una de las aplicaciones en las que estamos trabajando ahora es el biosensado donde se plantea detectar de forma rápida y eficiente sustancias de carácter biológico mediante dispositivos holográficos. Otra línea de trabajo que compaginamos con la anterior es la optimización de lentes holográficas para aplicaciones energéticas dentro de lo que se conoce como "Fotónica Verde". Siempre que sea posible intentamos dirigir nuestra investigación hacia objetivos que incrementen el bienestar y mejoren nuestra sociedad.

De todos los proyectos de investigación en los que te has embarcado, ¿cuál ha sido tu favorito y por qué?

Cada vez que inicio un proyecto de investigación el horizonte aparece desdibujado y conforme se avanza en la investigación ese horizonte va tomando forma y se empieza a ver cada vez más nítido. De todos los proyectos de investigación en los que he participado me resulta difícil destacar uno como favorito ya que en mi caso todos los avances conseguidos en cada proyecto suman y permiten el avance individual de mi carrera como investigadora y el avance colectivo de mi grupo de investigación. Comencé desarrollando un sistema óptico para fabricar elementos ópticos holográficos mediante copia, continué con el desarrollo de una memoria holográfica y actualmente aplicamos nuestro conocimiento al desarrollo de sensores y concentradores solares. Todos los proyectos me han permitido avanzar y más que seleccionar uno diría que el hecho de continuar aprendiendo y no permanecer en lo ya conocido es realmente lo que me motiva a seguir investigando, por tanto, el proyecto actual y los venideros son y serán mis favoritos.

¿Cómo te empezaste a interesar en la óptica? ¿Tuviste algún referente?

En tercer curso de carrera leí una publicación sobre holografía en una revista de divulgación y ese artículo hizo que me interesara por la óptica en general y por la holografía en particular. La divulgación científica es siempre una gran fuente de motivación. Si a ello unimos que por aquel entonces la asignatura Óptica se cursaba en tercero de la licenciatura en Física y que además tuve la suerte de ser alumna de la profesora María Josefa Yzuel que impartió la asignatura de Óptica aquel curso en la Universidad de Granada, mi interés por la Óptica se multiplicó. Volví a coincidir con la profesora Yzuel durante mi etapa de doctorado y a partir de ahí en muchas otras ocasiones. Puedo decir con absoluta certeza que ella fue un referente para mí en el mundo de la Óptica y mi mentora durante muchos años.

En 2017 fuiste nombrada Fellow Member de SPIE. ¡Enhorabuena! ¿Nos puedes contar un poco sobre esto? ¿En qué consiste? ¿Cómo te llegó ese reconocimiento?

La SPIE es una organización internacional sin ánimo de lucro con sede en Bellingham, Estados Unidos, posicionada como una de las principales sociedades científicas para la difusión y divulgación de los avances en óptica y fotónica.

El nombramiento como *Fellow* es una distinción para aquellos miembros de la sociedad que han realizado contribuciones científicas y tecnológicas significativas en los campos de la óptica, la fotónica y las ciencias de la imagen. En mi caso particular fui mencionada "en reconocimiento a su experiencia y logros profesionales en el campo de la óptica y la fotónica, y en particular por sus contribuciones en materiales holográficos, almacenamiento óptico de la información, óptica difractiva y óptica visual".

Este reconocimiento supone una forma de poner en valor mi carrera como investigadora y mis contribuciones a la comunidad óptica internacional. Para ser reconocido como tal debes recibir el apoyo de otros *fellows* y ser reconocida por tu servicio a la comunidad óptica en general y a SPIE en particular, en mi caso formando parte de comités científicos, participando en congresos y colaborando en las actividades que lleva a cabo la sociedad.

¿Has visto diferencias a la hora de obtener reconocimientos de este tipo en función de tu género? En SPIE también formaste parte de un comité que otorgaba becas para estudiantes desde la secundaria hasta la etapa post-doctoral. ¿Viste que hubiera algún sesgo a la hora de solicitar estas becas? Si es así, ¿Por qué crees que ocurre?

Ciertamente no he observado diferencias a la hora de obtener este tipo de reconocimientos en función del género, aunque es cierto que el número de mujeres que recibe este reconocimiento siempre es menor que el de hombres. Inicialmente porque el número de mujeres en los ámbitos científicos ha sido menor pero quizás porque somos mucho más exigentes con nosotras mismas y en lo referente a los reconocimientos en algunos casos no se llegan a solicitar.

Las sociedades científicas, en general y el SPIE en particular, están abiertas a la pluralidad de ideas, a la internacionalización y son conscientes de la importancia que tiene el reconocimiento del trabajo y del éxito profesional de las mujeres. Sin embargo, tengo que decir que, sí he observado algún tipo de sesgo de forma más sutil en el mundo científico, no necesariamente en cuanto al reconocimiento, pero sí en cuanto a la credibilidad de una propuesta. Los hombres siempre tienen más credibilidad que las mujeres cuando se trata de proponer algo para alcanzar ciertos logros, las mujeres todavía tienen que trabajar y luchar arduamente por justificar sus propuestas y hacer que sean suficientemente valoradas, todavía son pocas las mujeres cuyas propuestas son llevadas a cabo. Esto puede ser porque aún estamos en minoría a la hora de evaluar dichas propuestas. Por ese motivo hay que seguir dando visibilidad a las mujeres, apoyándolas y valorándolas hasta conseguir que tengan la misma credibilidad que los hombres en el campo científico y para ello hay que estar dispuestas a formar parte de los comités de evaluación, tribunales y otros acontecimientos y actividades que requieran nuestra presencia para poner en valor nuestras propuestas.

Mi experiencia formando parte del Scholarship Commitee del SPIE ha sido muy satisfactoria ya que aparte de los méritos de cada uno de los estudiantes había que valorar una redacción en la cual cada solicitante explicaba entre otras cosas su motivación por la óptica y es muy enriquecedor leer que un profesor/a, un padre/madre, una necesidad social, una película o un sueño que puede hacerse realidad, son el motivo de una elección tan importante como es la carrera científica en el caso de los jóvenes.

¿Crees que es importante motivar a las niñas para hacer carreras STEM? ¿Se te ocurre alguna iniciativa para esto?

Como he comentado las publicaciones divulgativas suelen motivar, la actitud de los padres respecto a los gustos de sus hijas por las matemáticas, la física o la tecnología permiten elevar la autoestima de las niñas cuando hacen una elección tradicionalmente no de mujeres, pero realmente creo que una actividad que puede ser clave para que haya más niñas/jóvenes que deseen estudiar carreras STEM es presentar la actividad científica como divertida e interesante. Si tenemos en cuenta que los jóvenes de hoy en día ven series como parte importante de su tiempo de ocio, propondría presentar una serie sobre jóvenes científicas con la cual se puedan identificar. Otra opción podría ser un laboratorio científico como actividad extraescolar, durante varios años he participado como jurado en una feria científica (Certamen de Ciencias de la Vega Baja del Segura, Alicante) y he podido apreciar como han disfrutado las y los jóvenes tratando de explicar y de mostrar sus experimentos a los demás.

Echando la vista atrás, en relación con tu carrera formativa, ¿cambiarías o harías algo diferente si pudieras volver al pasado? ¿Qué consejo le darías a una joven que busca iniciarse en la rama de la investigación?

La verdad es que estoy satisfecha con mi carrera formativa que se ha desarrollado de acuerdo a las circunstancias de cada etapa pero si tuviera que dar un consejo a una joven investigadora hay dos cosas que creo que son importantes, una es ser consciente de que la investigación es un largo camino en el que a veces los avances se producen despacio por lo que no hay que desanimarse y donde siempre hay que estar aprendiendo sea cual sea nuestro nivel de experiencia, y otra cosa es que aproveche y aplique esa facilidad para lo tecnológico que posee su generación tanto para facilitar el trabajo científico como para comunicar lo aprendido. Hoy más que nunca somos conscientes de la importancia que la sociedad digital tiene para continuar transmitiendo y expandiendo nuestros logros científicos.

Febrero 2021 -

Entrevista a Leni Bascones

Leni Bascones

es científica titular en el Instituto de Ciencia de Materiales de Madrid (ICMM) perteneciente al Consejo Superior de Investigaciones Científicas (CSIC). Su investigación se centra en la modelización de las propiedades electrónicas de materiales cuánticos, fundamentalmente materiales en los que la interacción entre los electrones tiene un papel dominante y da lugar a fases cuánticas correlacionadas, incluyendo la superconductividad. Actualmente investiga las propiedades de grafeno de ángulo mágico, dos capas de carbono (grafeno) rotadas entre sí 1º. Anteriormente ha trabajado en superconductores de alta temperatura basados en hierro, en los basados en cobre y en sistemas de tamaño nanométrico.

Doctora en física teórica de la materia condensada por la Universidad Autónoma de Madrid. Además de en Madrid, ha trabajado en la Universidad de Texas en Austin, en el ETH de Zurich y realizado estancias de investigación en varias universidades, incluyendo la ESPCI de Paris y las Universidades de Minnesota y Karlsruhe. Ha sido co-editora de EPL y actualmente es miembro del comité editorial de Physica C.

Además de su actividad investigadora, Leni es muy activa en divulgar la superconductividad, tanto a través de actividades presenciales como en la red, y en la promoción de la igualdad de género en ciencia. Fue co-fundadora y coordinadora de la Iniciativa 11 de Febrero durante sus cuatro primeras ediciones, miembro de la comisión de igualdad de su centro durante varios años, mentora en programa STEM Talent Girl y es profesora en el curso “La Igualdad de Género en Ciencia” del CSIC.

Entrevista realizada por Martina Delgado.

Leni, fuiste una de las impulsoras de la iniciativa 11 de Febrero, en la que investigadoras y científicas participan en actividades educativas en escuelas e institutos, para visibilizar la labor de mujeres en ciencia. ¿Cómo surgió esta iniciativa, qué te llevó a ponerla en marcha?

En el día a día las científicas sufrimos discriminación de muchas formas, algunas obvias pero otras tan sutiles que ni la persona que sufre la discriminación ni quien la practica lo perciben en el momento. En mi caso llevaba años percatándome de cómo me afectaba esta discriminación. Los estereotipos, la invisibilización femenina y la presión social ya afectan a las niñas, que estudian las carreras STEM en menor medida que los chicos. Revertir esta situación requiere cambiar la forma de actuar de toda la sociedad y esto sólo es posible si una gran parte de la sociedad se implica en este cambio. Por otra parte, se hacía patente que había muchas personas que compartían las mismas ideas y estaban dispuestas a poner su granito de arena. Lo que hacía falta era crear un mecanismo que facilitase y amplificase las acciones que pueden llevarse a cabo de forma individual. Por eso pusimos en marcha una iniciativa de este tipo.

Esta actividad ha crecido exponencialmente en muy poco tiempo: cada año se incrementa el número de colegios e institutos que demandan estas charlas, así como el de científicas e investigadoras que participan voluntariamente. Incluso en algunas ciudades, el 11F ha pasado a ser protagonista de marquesinas publicitarias institucionales. ¿Os ha sorprendido este éxito? ¿Cuáles son los planes para el futuro?

Sí, nos sorprendió mucho. Sabíamos que la idea era buena y podía funcionar, pero llegar a la gente y más aún movilizarla no es fácil. La iniciativa la comenzamos unas pocas científicas que no teníamos capacidad de comunicación más allá de la que tiene cualquier persona normal. Además 11F se gestiona de forma voluntaria, sin nada de presupuesto. En el éxito creo que han sido claves, por una parte, la estrategia seguida dentro de la propia iniciativa, por otra el altavoz de las redes sociales y la buena disposición de los medios de comunicación. Muchas instituciones también se han volcado con ella.

Para el futuro la idea es seguir en la misma línea que se ha llevado hasta ahora. Afortunadamente, gracias a la mayor sensibilización en la problemática mujer y ciencia, en estos años han surgido o se han reforzado muchas otras iniciativas que fomentan la visibilidad de la mujer en la ciencia y la tecnología. Estas iniciativas, que esperamos que sigan surgiendo, cubren otras necesidades.

El objetivo de esta actividad es, principalmente, potenciar las vocaciones científicas entre los jóvenes, especialmente entre las jóvenes. Seguro que has explicado muchas veces por qué esto es necesario, pero todavía hay gente que niega esta necesidad. Si tuvieras que dar un solo argumento a favor de esta actividad, ¿cuál usarías?

El objetivo de la iniciativa 11 de Febrero es cerrar la brecha de género en el ámbito científico en todas las edades y etapas profesionales. En la infancia y adolescencia es más fácil identificar la brecha y llegar al alumnado en las actividades. También es más fácil que las personas se movilicen para evitar que las niñas sufran discriminación. De ahí que la gran mayoría de las actividades se enfoquen a centros educativos.

La ciencia y la tecnología son claves en nuestro día a día y lo serán aún más en el futuro, tanto en la forma de abordar los problemas globales de la sociedad como en las oportunidades laborales. Actualmente es bastante patente que las chicas se decantan por las carreras técnicas en menor medida que los chicos por culpa de los estereotipos sociales. Evitar esto, es importante por justicia social pero también porque estamos perdiendo muchísimo talento. Nos jugamos el futuro.

En los últimos años, han empezado a oírse voces procedentes de investigadoras en ciencias sociales y humanidades que reclaman que esta actividad también les incluya a ellas. ¿Crees que es adecuado compatibilizar ambas vertientes, o preferirías que se estableciera una actividad paralela organizada por y para ellas?

Las investigadoras en ciencias sociales y humanidades también sufren problemas de discriminación, aunque hay algunas diferencias con las ciencias, en especial con las técnicas. El 11 de febrero, como día Internacional declarado por Naciones Unidas, se enfoca en lo que podríamos llamar las ciencias básicas y aplicadas, pero en un concepto más amplio que no se reduce únicamente a la investigación. Lo hace precisamente para remarcar la problemática extra que surge en estas ciencias. A veces es importante focalizar en algunas áreas y por eso, desde 11 de Febrero, hemos querido centrarnos en ellas, ampliando también al ámbito de la tecnología y la ingeniería.

En cualquier caso aunque no se promuevan algunas áreas específicas creo que todas las ramas se benefician de forma directa o indirecta de la movilización del 11F. Además me consta que también se hacen algunas actividades concretas en esta fecha que ayudan a visibilizar a las investigadoras de ciencias sociales y humanidades y su problemática.

Hablamos mucho de tu actividad en el 11F para visibilizar la actividad de mujeres investigadoras, y tú misma lo eres. ¡Visibilicemos tu labor! ¿Nos explicas de qué trata tu trabajo de investigación?

Mi especialidad es la física teórica de la materia condensada. En mi día a día estudio las propiedades electrónicas de materiales cuánticos. En particular me centro en materiales en que la repulsión entre los electrones produce fases electrónicas como la superconductividad o los aislantes de Mott. Intento comprender por qué surgen estas propiedades y cómo podemos caracterizarlas mejor. Especialmente he estudiado materiales superconductores, sobre todos los de alta temperatura. Actualmente estoy investigando el llamado grafeno de ángulo mágico en el que hace un par de años se descubrieron inesperados estados aislantes y superconductores. También le doy mucha importancia a la divulgación.

Tu activismo en temas relacionados con la ciencia no empezó con el 11F: antes, participaste activamente en la Federación de Jóvenes Investigadores FJI-Precarios, y desarrollaste un importante trabajo para reclamar una carrera investigadora digna para todos los investigadores, desde las etapas predoctorales hasta las más senior. ¿Cómo ha cambiado la carrera investigadora en los últimos años? ¿Qué nos queda por reclamar?

La carrera investigadora ha mejorado claramente en las primeras etapas, especialmente con el reconocimiento de la labor investigadora o los derechos laborales sustituyendo las becas por contratos. También se ha reducido notablemente el número de personas que trabajan sin cobrar al inicio de la tesis doctoral, aunque las condiciones creo que varían bastante en función de la fuente de financiación. Pero ahora, personas con varios años de experiencia postdoctoral afrontan una inestabilidad muy alta. Las reducciones presupuestarias que trajo la crisis han hecho que perdamos prácticamente una generación de investigadores e investigadoras y ha cerrado las puertas a mucha investigación puntera en los grupos de investigación actuales así como a la promoción del personal investigador. Creo que hay que reclamar más plazas permanentes y mayor financiación y personal de apoyo para poder realizar la investigación en condiciones. Es importante aumentar el número de contratos Ramón y Cajal y que haya una mayor seguridad para la persona contratada respecto a su estabilidad si el rendimiento ha sido bueno. Tanto estos contratos como las plazas permanentes deben conseguirse a una edad más temprana.

Una crítica que también se escucha en torno al 11F es que se trata de potenciar vocaciones científicas, aun y cuando la carrera investigadora es una actividad muy precaria. ¿Cómo crees que el 11F puede contribuir a la dignificación de la carrera investigadora?

Al plantear la problemática de las mujeres científicas, el 11F pone encima de la mesa situaciones que en diferente medida afectan a toda la carrera investigadora. Por ejemplo, facilitar la conciliación o evitar que el trabajo sea el eje en torno al cual debe girar toda tu vida al final beneficia a toda la comunidad científica. Respecto a las críticas creo que es importante resaltar que la carrera investigadora tiene etapas precarias. Otras etapas, aún exigiendo una alta dedicación y sin estar bien reconocidas y dotadas, no son tan precarias en comparación con muchas otras salidas profesionales. Es importante ser consciente de que la precariedad no es sólo un problema de la ciencia.

Incidiendo en esto último, una imagen habitual de los científicos y científicas es que somos personas encerradas en nuestra torre de marfil, alejados de las realidades sociales, y poco dados a implicarnos en actividades reivindicativas. ¿Crees que es cierto? ¿Consideras necesaria una mayor movilización del personal científico y académico para que las reivindicaciones en inversiones en I+D+i acaben cristalizando? ¿Cómo podemos implicar a los científicos e investigadores en este tipo de actividades?

Como en cualquier colectivo hay personas de diversa índole. Sí es cierto que la alta dedicación que requiere la investigación hace que muchas personas eviten el esfuerzo que supone movilizarse. Sin embargo, la movilización del 11F sugiere que es posible que la gente se implique. Creo que hace falta que nos creamos que si nos movilizamos lograremos cambiar las cosas.

Marzo 2021 -

Entrevista Martina Delgado Pinar

Martina Delgado Pinar

se licenció (2002) y doctoró (2008) en la Universitat de València, especializándose en fotónica, concretamente en el uso de las fibras ópticas para diseñar y fabricar diferentes dispositivos (filtros de microondas, láseres, polarizadores de fibra microestructurada...) con aplicaciones que van más allá de su uso habitual en telecomunicaciones. En esta primera etapa se centró en la optoacústica en fibra y la fabricación de fibras ópticas microestructuradas con propiedades especiales. Realizó una estancia postdoctoral en el Centre for Photonics and Photonics Materials (University of Bath, UK, 2008-2012), durante la que exploró las posibilidades de los fenómenos no lineales de segundo y tercer orden en nanohilos y fibras microestructuradas para la fabricación de fuentes de luz cuántica. Tras obtener una ayuda Juan de la Cierva (2012-2015), se reincorporó al grupo donde realizó la tesis, el Laboratorio de Fibras Ópticas del Departamento de Física Aplicada y Electromagnetismo – Instituto de Ciencias de los Materiales. En esta etapa añadió los microrresonadores fotónicos a la colección de elementos a emplear en sus dispositivos. En particular, estudió los modos de galería, conocidos por su nombre en inglés, Whispering Gallery Modes, en cilindros y esferas. Ellos la llevaron a reencontrarse con la optoacústica de su tesis, pero bajo una nueva perspectiva: emplear la luz como herramienta para hacer vibrar los microrresonadores, y también para medir esas vibraciones. Esto, junto al diseño y caracterización de nuevos biosensores fotónicos constituyen sus líneas principales de investigación actualmente... ¡hasta encontrar algo nuevo y excitante que le permita seguir aprendiendo!

Entrevista realizada por María Viñas y Paloma López.

Martina, cuéntanos qué es lo que más te atrajo de la investigación en fibras ópticas y en qué consiste exactamente tu área de trabajo.

Cuando empecé la carrera de física, en realidad la idea que tenía de la materia era, por un lado, resolver planos inclinados (que era lo que se hacía fundamentalmente en los cursos de bachillerato y, contra toda lógica, me parecía muy entretenido), y por otro, los "temas estrella" que ocupan lugar en los medios de divulgación y prensa: la astrofísica, la física teórica, la de partículas... Abrir la sección de ciencia de cualquier medio de comunicación es encontrarse básicamente con estos temas. Y yo fui una niña de las que vio la serie Cosmos de Sagan en la tele (en la 2, a mediodía, los domingos), así que mi idea de la física era esa. La fotónica, a pesar del impacto que tiene en nuestras vidas (¿cuántos dispositivos tenemos a nuestro alrededor que incorporan láseres, leds u otras fuentes de luz?, ¿cuántos premios nobeles de física en los últimos años se han logrado a través del uso de las tecnologías fotónicas?), era una desconocida para mí, y creo que sigue siéndolo en gran medida para el público general.

Sin embargo, al llegar a tercero de carrera, descubrí la asignatura de electromagnetismo, y me interesó sobremanera (también contra todo pronóstico, era una de esas en las que se acumulaban suspensos un año tras otro). Junto a ella también estaba la asignatura de óptica, y me di cuenta de lo mucho que tienen en común. Así que decidí que aquello era a lo que quería dedicarle tiempo. En el curso siguiente, escogí las asignaturas más relacionadas con ese tema (sin tener todavía ni idea de qué iba a hacer acabada la carrera), y tuve la oportunidad de conseguir una beca de colaboración para estudiantes en el Laboratorio de Fibras Ópticas (Universitat de València). Así empecé a trabajar en este área.

Mi trabajo, dentro de lo que es el desarrollo de dispositivos basados en fibras ópticas, es bastante transversal: hago uso de diversas técnicas y fenómenos para conseguir un dispositivo con propiedades específicas, que bien puedan dar solución a un problema, o bien te permitan medir algo que de otra manera no se puede. Lo de contestar "exactamente" en qué consiste mi trabajo es complicado. Mi tesis empezó tratando de fabricación de fibras microestructuradas (unas fibras especiales, que tienen una microestructura de agujeros en su interior para permitir el guiado de la luz), pero a la vez estuvimos trabajando en interacción acusto-óptica (lo de que "agitar" una fibra te permita controlar la luz que se propaga por ella me sigue pareciendo alucinante). Con esa técnica, acabamos diseñando y fabricando láseres de fibra óptica pulsados. Con el tiempo, he seguido trabajando en estos temas, pero también he incluido efectos no lineales, el uso de las fibras como microrresonadores para modos de galería (como los modos acústicos ligados a edificios como la catedral de San Pablo en Londres, pero con ondas de luz y en miniatura) para su aplicación en sensado, para aplicaciones no lineales, para excitación de ondas acústicas (antes agitaba la fibra y controlaba la luz… ahora ilumino la fibra o resonador y consigo que "se agite"). Últimamente, he empezado una línea de trabajo en biosensores, para los que usamos todo lo que hemos aprendido anteriormente.

En este momento, estoy en un punto de inflexión. Recientemente obtuve una plaza de profesora lectora en la Universitat de Barcelona. En los próximos meses y años seguro que tendré que incorporar otros temas de trabajo a esta colección, porque en el departamento al que me incorporo los temas de investigación ya asentados son otros. Es un reto, una oportunidad y un montón de incertidumbre. Lo importante es seguir encontrando temas de los que aprender.

Realizaste una estancia postdoctoral de cuatro años, en el Centro de Fotónica y Materiales Fotónicos de la Universidad de Bath (UK), posteriormente regresaste a España con un contrato Juan de la Cierva, después de unos años en el mismo grupo de investigación, ¿cómo ves las posibilidades de estabilización/financiación?

En Inglaterra tuve dos contratos, uno financiado por el EPSRC (Engineering and Physical Sciences Research Council – UK) (yo decía entonces que a mí me pagaba la reina, God Save the Queen, por aquello de camuflarme entre los nativos), y posteriormente uno financiado por la Generalitat Valenciana para que siguiera allí mi investigación. Tras eso, me reincorporé al Laboratorio de Fibras Ópticas a través de un contrato Juan de la Cierva, cuando eran de los que duraban tres años. Todo esto fue en plena crisis: me fui en mayo de 2008 a UK, y viví los recortes en vivo. Unos meses después de mi llegada estalló Goldman Sachs, y empezó todo el desastre. En mi grupo de allí, uno de los más potentes a nivel europeo, éramos unos quince postdocs en 2008 (un número especialmente alto incluso para el estándar de allí) y cuando acabé éramos tres si no recuerdo mal, de los que solo quedaba yo como extranjera (tenía financiación propia de otro país). Empecé la Juan de la Cierva en 2012, y fue entonces cuando la crisis comenzó a cebarse a España en serio: me volví cuando el no-rescate de la banca española. A partir de entonces, tasa de reposición nula en la función pública, recortes generales… lo hemos vivido todos.

Todo esto tuvo consecuencias en la ciencia. No hace falta que lo diga yo, los números están ahí: la inversión en I+D se ha estancado en el 1.25% del PIB, y todavía está por debajo del valor pre-crisis. Es cierto que en valores absolutos la inversión ha crecido, pero ese porcentaje refleja la relación de esa inversión con la economía en su conjunto. En definitiva, es el "valor" que le damos a la investigación, el porcentaje de nuestro "sueldo" que dedicamos a ella. Recuerdo cuando a mediados de los años 2000 desde FJI-Precarios reclamábamos una inversión del 3%. Y todo esto tiene como principales afectados a los investigadores, y en especial a las investigadoras, porque está demostrado que en época de crisis las mujeres son las principales afectadas: también lo estamos viendo en el contexto actual. Muchas veces la inversión en I+D se ha vehiculado a través de construir nuevos centros de investigación (más ladrillo), "buques insignia" frente a los que hacerse muchas fotos, y en los que nadie con menos de 45 años tiene un contrato estable.

Las medidas que se han puesto sobre la mesa para eso que llaman "recuperar el talento", "atraer a investigadores de excelencia" y todas esas frases grandilocuentes son convocatorias que lucen nombres de grandes investigadores del pasado, cada vez más exiguas en relación al número de investigadores que se han ido formando con los años y, por ello, ultra competitivas. Porque cada vez somos más los investigadores e investigadoras con currículums más que válidos, pero las oportunidades no se dan: no hay un aumento claro de las posibilidades de incorporación al sistema, y todas las propuestas pasan por encadenar contratos temporales uno tras otro. Arrastramos un desfase por todos estos años de recortes y conozco, de primera mano, muchos investigadores e investigadoras que tienen currículums más que competitivos en términos generales y en todas las áreas de investigación pero que, por la escasez de contratos (ya otro día hablamos sobre políticas de contratación endogámicas y otras servidumbres que se dan en algunos centros, el otro puntal de la precariedad que vivimos), quedan fuera del sistema. Ante eso, algunas (subrayo lo de algunAs) han renunciado a seguir en puestos precarios porque no ven posibilidad de mejora a medio plazo, tengo muchos compañeros asentados en el extranjero que querrían volver pero saben que no compensa laboralmente y otros, al ver el panorama, directamente han elegido no seguir en ciencia tras terminar la tesis doctoral. Gente más que válida y competente cuya contribución al desarrollo científico del país ya hemos perdido. Y no sólo estamos perdiendo a los que salen: vivir bajo la precariedad de este sistema que impone una tremenda incertidumbre y competitividad a los investigadores (sobre todo, aunque no únicamente, a los que están empezando sus carreras), tiene otra consecuencia directa en su salud mental: hay estudios que cifran en un 40% los investigadores pre- y postdoctorales que sufren depresión y ansiedad. A los que se quedan también les estamos perdiendo, de otra manera.

A pesar de todo esto, tampoco quiero dar la sensación de que esta carrera profesional no vale la pena (aunque creo que no lo estoy haciendo demasiado bien...) Es un trabajo que, si te gusta la ciencia, investigar, enfrentarte a problemas nuevos... si te gusta aprender, en general, lo disfrutas mucho, sobre todo la fase predoctoral. Además, te da oportunidades para conocer otros lugares y otra gente como pocas profesiones. Solo el camino ya vale la pena disfrutarlo. Para ello es importante tener un buen entorno de trabajo, que hay que buscarlo y elegirlo (si se puede) bien. Por otro lado, la estabilización es difícil, pero es posible.

Pero no podemos financiar la investigación a base de la vocación de los investigadores, que renuncian a determinadas cosas para seguir en esta profesión. Lo que es necesario, creo yo, es seguir reclamando ese aumento en I+D y que este conlleve un impacto relevante en la incorporación y estabilización de investigadores. Porque si queremos que las convocatorias del futuro se llamen como los científicos del S.XXI, y no seguir usando las viejas glorias de los SS. XIX-XX, debemos darles la oportunidad de trabajar.

¿Cómo ves la situación de la investigación en Óptica en España? ¿Cuál ha sido el impacto de los recortes en Ciencia en estos últimos años? ¿Has notado diferencias entre UK y España por este motivo? ¿Qué crees que tiene un impacto mayor en la situación de la Ciencia española, la mala financiación o la falta de carrera investigadora?

Lo que ha pasado en Óptica y Fotónica en cuanto a los recortes no difiere mucho de la situación general que he comentado antes, claro. Sí que veo una diferencia, y es que este campo tiene una mejor inserción en la industria. Desde luego, no en España, y esperemos que eso cambie, pero sí que es cierto que es un área de trabajo con un impacto en la industria que permite que haya investigadores que puedan pasar a la iniciativa privada. Lo cierto es que esto a veces se ve como una salida de segundo nivel, y no entiendo por qué. Cuando estaba en UK no era tan raro ver a los investigadores pasar de la industria a la academia y viceversa. En mi departamento, tuve un compañero que pasó de hacer el doctorado en Bath, a trabajar en Crystal Fiber A/S (hoy NKT) en Dinamarca, volver a Bath y ahora está en OFS (USA). Eso es impensable en España, desde luego: la rigidez de la carrera académica no permite esto.

Si trabajas en tecnología de fibra, haber pasado por Crystal Fiber o por OFS, ¿cómo puede considerarse segundo nivel? Hay un prejuicio en ese sentido, que he detectado incluso en gente joven, y que no acabo de entender. Entiendo que hay áreas en las que esta dinámica no es posible, pero, ¿por qué no aprovecharlo en las que sí lo es? Y eso no significa fiarlo todo a la inversión privada, pero sí aprovechar las oportunidades que puede brindar a la hora de aprovechar el talento de la gente.

En lo que es la academia, tenemos una carrera investigadora definida como una serie obstáculos en las que si, por lo que sea, no puedes permitirte un rendimiento óptimo en una de esas pruebas, tienes muchas dificultades para reengancharte. Y en ese "por lo que sea" se incluyen los permisos de maternidad que afectan principalmente a las investigadoras, pero también bajas por enfermedad, un proyecto fallido (¿cuándo empezaremos a valorar los resultados negativos?) o cualquier otro tipo de imprevisto que no podemos controlar. ¡Incluso una situación afortunada que quisieras aprovechar y dejar aparcado tu trabajo por unos meses acaba siendo un perjuicio! Y si después de esos eventos tu curriculum siguiera siendo bueno (con el esfuerzo extra que eso supone), la falta general de oportunidades hace que seamos tantos y tantas entre los que elegir para que ese pequeño desajuste, ¿tal vez una décima en la puntuación de la Ramón y Cajal? te deje fuera. Y ese efecto se va amplificando a medida que avanza la carrera investigadora. Lo peor es que en las nuevas propuestas por parte del gobierno parece que esa visión de diseño de carrera investigadora no cambia, e incluso se amplía la etapa en la que vas de contrato en contrato. Los investigadores e investigadoras, además, no somos un colectivo especialmente combativo salvo excepciones (pero sí competitivo, porque tenemos que ser "excelentes" a todas horas, y estoy utilizando el concepto de excelencia de manera irónica), y va a ser difícil que esa tendencia cambie si no encuentran enfrente a un colectivo unido y movilizado. En este sentido, es especialmente importante la implicación de los investigadores ya estabilizados, que son quienes tienen mayor capacidad para influir en la toma de decisiones, y también es importante su colaboración para que los investigadores más jóvenes puedan tener visibilidad y puedan avanzar en su carrera profesional.

Tu área de investigación tiene un bajo porcentaje de mujeres dirigiendo grupos de investigación, ¿a qué crees que se debe esta situación? ¿Has sido testigo de algún tipo de discriminación o diferencia en el trato que se le da a hombres y mujeres que ocupan un cargo similar? ¿Tienes la sensación de haber tenido que trabajar más que tus compañeros para lograr un reconocimiento similar?

Testigo directa en situaciones "clave" no (tampoco tengo acceso a esas situaciones en las que se toman decisiones de verdad). Y tampoco he estado trabajado directamente con el típico "cátedro-señoro" como puede haberle pasado a otras compañeras. Pero evidencias: claro, como todas nosotras las tenemos. No se "nos ve" como directoras, supervisoras, jefas o profesoras, la imagen de la persona que tiene esas responsabilidades es otra. Por contar alguna anécdota graciosa (pero creo que ilustrativa): cuando fui a reservar la sala para la defensa de tesis de mi doctorando, la persona al cargo me dijo que la reserva tenía que hacerla mi director de tesis. Lo hizo sin maldad alguna, me reí, claro, y lo achaqué a que soy una jovencita (no). A ningún compañero de mi edad le ha pasado esto: yo lo llamo "efecto barba". También hubo una ocasión, dando clase, en la que un trabajador de mantenimiento entró en clase preguntando a un estudiante por el profesor, y cuando él le dijo que era yo, le dijo algo como "no, pero estoy buscando a quien esté al mando". O que un estudiante (vale, era mayor que yo, pero era estudiante), cuando puse una cuestión más difícil de lo habitual, interrumpió la clase para decirme en voz alta "ma' que eres roïna" ("mira que eres mala", vendría a ser en castellano).

Si estas cosas pasan a este nivel, claro que pasarán en otros de mayor poder de decisión. ¿Quién preside un comité? ¿Quién da una charla? ¿A quién pones de cara visible en un evento? En Sedoptica-MOF tenemos una actividad en la que identificamos y señalamos all-men-panel y es evidente que hay sesgos. Por eso tenemos que seguir reclamando ocupar ese espacio que hasta ahora ha ocupado el hombre de mediana edad, y seguir aportando referentes de mujeres que tienen méritos tan válidos como los de ellos. ¡Mirad los videos de Científicas Conectadas que tenemos en nuestro canal, y conoceréis a muchas de ellas!

¿Crees que es necesario implementar políticas que intenten revertir esta situación en Ciencia?

Respuesta corta: sí.

Respuesta larga: ¿cómo se cambia un sistema si no es actuando sobre él? El hecho de que hay un sesgo por razón de sexo en ciencia (como en toda la sociedad) está probado con números, con gráficas de tijeras que cada vez son menos tijeras y más pinzas, con estadísticas de todo tipo. Tenemos una situación de desigualdad: ¿queremos cambiarla? Si queremos cambiarla, que supongo que sí, hay que hacer algo.

La siguiente discusión es sobre cómo cambiar esa situación. Y aquí es donde empieza el debate útil. Lo primero que se dice es: "lo que hace falta es educar a las generaciones futuras". Eso es evidente. Hagamos eso de educar a las generaciones futuras, claro, de hecho ya hay muchísimas actividades en ese sentido que pretenden proveer de referentes a niñas y jóvenes, el 11 de Febrero, la iniciativa de Girls4Stem, No more Matildas, ¿conocéis el libro de "10001 amigas ingenieras"?

Pero, ¿qué hacemos con las que estamos trabajando aquí y ahora? Las generaciones presentes también queremos desarrollarnos en un entorno que no nos sea hostil. Lo que está demostrado es que las "políticas de cuotas" funcionan, o al menos medio-funcionan (siempre hay quien te dice, sin esconderse, porque saben que no les va a pasar nada, que ellos se las saltan en cuanto pueden). Son medidas criticadas, son "antipáticas" (también para las mujeres, porque hay quien te puede hacer sentir que estás ahí porque eres una cuota, no por tu valía), ojalá no hicieran falta, pero tienen efecto. De hecho, a mí no me gusta llamar a esto "discriminación positiva". Discriminación positiva es cuando en un colectivo en el que hay hombres y mujeres, uno de los dos grupos tiene representatividad y está en los puestos decisorios por encima de lo que dictaría la composición porcentual. Lo que se les aplica a las mujeres son políticas compensatorias contra esa discriminación positiva de la que se benefician los hombres.

Participas activamente en SEDOPTICA-MOF ¿Qué te hizo empezar a participar en este tipo de actividades? ¿Participas en alguna iniciativa de divulgación más? ¿Por qué consideras importante fomentar las vocaciones científicas en niñas y jóvenes?

Ahora es cuando yo os cuento que, siendo estudiante, y siendo investigadora predoctoral, yo no creía en nada de esto. Me creía a ciegas lo de la cultura del esfuerzo y que los méritos son debidamente recompensados. Fui una convencida tardía de que esta situación era real, y fue a base de conversaciones con gente más lista que yo y experiencias propias. Recuerdo que, estando de postdoc en UK, en una reunión de trabajo tuvimos que decidir quién iba de primer autor en una contribución a un congreso, mi compañero o yo. Yo había participado en todas las fases del experimento, él sólo en la última. La discusión se zanjó por mi compañero con un "ladies first"; casi sonó el himno tras esa frase, so british todo. Nadie dijo: "la implicación de ella ha sido más relevante", y quedó como un favor que me hacían. Estoy segura de que no fue consciente de lo que había pasado allí. Adivinad quién dio la charla en el congreso, por cierto.

Cosas como esa son las que van calando, y entonces en el OPTOEL de 2019 Francesca Gallazzi me dio un folleto de Sedoptica-MOF; luego María Viñas se acercó a mi jefe de grupo, Miguel V. Andrés, a hablarle del comité y que buscaban mujeres a quienes entrevistar y él me señaló inmediatamente como víctima propiciatoria. Así encontré un lugar en el que desarrollar las inquietudes que tenía en torno a este tema. Y aquí estamos: esta es aquella entrevista.

Aparte de Sedoptica-MOF, he participado, con menos implicación, en actividades de divulgación sobre todo dirigidas a niños y niñas. En particular, me interesa hablar de "las cositas con luz" que dicen los chiquillos, por lo que decía antes de la poca presencia que tienen estos temas en la divulgación general. He escrito varios artículos para Jot Down Kids, participo en el 11F dando charlas en colegios de primaria (si no lo habéis hecho, nunca encontraréis un público más entregado) y en institutos… y doy la turra en mis redes sociales contando cosas de señoras científicas a quien quiera leerme. Últimamente tengo poco tiempo para estas cosas y lo echo de menos.

Comentaba antes que yo fui una niña que veía la serie de Cosmos en la tele. Allí no aparecían señoras. En mi familia no hay investigadores, y la verdad es que no tengo ni idea de dónde saqué yo la ocurrencia de dedicarme a esto, aparte de que me entretuvieran los planos inclinados. Ese es mi caso, pero parece claro que tener referentes te ayuda a creer que tú también puedes ser investigadora, ya sea en ciencias puras, aplicadas o sociales. O que puedes ser pintora, o escritora, o… lo que sea. Hacen falta referentes de mujeres en todos los ámbitos. Por eso creo que es importante colaborar en que las niñas de hoy sean conscientes de que pueden ser lo que quieran ser, que los niños de hoy sepan que sus compañeras son talentosas y que escuchar sus ideas vale la pena, y que todos y todas aprecien que aprender es una tarea apasionante. Y lo hago con la ilusión de que las condiciones que se encuentren los futuros científicos, ellos y ellas, sean menos precarias y puedan disfrutar de esta carrera sin encontrarse con tantas trabas. Ojalá.

Abril 2021 -
Entrevista a María Rosa López

María Rosa López

Se licenció en Ciencias Químicas en el año 1998 en la Universidad de Málaga (UMA) donde posteriormente defendió su Tesis Doctoral en el año 2005 basada en Espectroscopía Raman intensificada sobre superficies metálicas (SERS). Ha realizado diversas estancias y contratos posdoctorales en centros de prestigio internacional como el Max Planck Institute of Biochemistry (Munich), Instituto de Estructura de la Materia (CSIC, Madrid), Department of Chemistry and Biochemistry, University of Windsor

(Canada). Actualmente, ejerce como Profesora Titular en el Departamento de Química Física de la Universidad de Málaga donde imparte docencia en diferentes asignaturas oficiales de Grado y Posgrado. Es también coordinadora del proyecto "Como Tú" dedicado a visualizar la figura de investigadoras y tecnólogas en áreas STEM a través de charlas y talleres en centros educativos desde 2018.

Desde el año 2001 investiga dentro del campo de la espectroscopía molecular y la nanotecnología, especialmente en espectroscopía SERS. Es coautora de numerosos artículos de investigación, contribuciones a conferencias internacionales y participaciones en proyectos de los Planes Nacionales y Regionales de Investigación. Actualmente es coinvestigadora en el Proyecto del Plan Nacional "BIOindicadores en MARTE y Espacio (BIOMARSS)" a través de su colaboración el Instituto Nacional de Técnica Aeroespacial (INTA) en Madrid.

Es Presidenta del Comité de Espectroscopía de la Sociedad Española de Óptica y, de forma paralela, su interés por la Astronomía la llevó a involucrarse y colaborar en numerosas actividades de investigación y divulgación como miembro de la Sociedad Malagueña de Astronomía (SMA) desde el año 2001, formando parte de la Junta Directiva, donde ha participado en diversos proyectos de divulgación científica subvencionados por la FECYT.

Entrevista realizada por Verónica González.

Cuéntanos brevemente en qué consiste tu investigación.

Mi tesis doctoral se basó en la técnica de espectroscopía Raman intensificada sobre superficies metálicas, lo que se conoce como espectroscopía SERS, de sus siglas en inglés *Surface-Enhanced Raman Scattering*. En términos generales, el requisito más importante para la obtención de una buena intensificación SERS es una superficie metálica rugosa, que se obtiene por diferentes métodos como mediante la preparación de nanopartículas metálicas o a través del tratamiento electroquímico de un metal. Las superficies usadas con mayor frecuencia se han preparado a partir de metales nobles, de entre los que destaca la plata; sin embargo, se conocen muchos otros metales capaces de dar espectros aceptables de ciertos compuestos. Al trabajar en este tipo de espectroscopía te especializas en la síntesis de determinadas nanopartículas y superficies modificadas que puedan ser usadas como sustratos activos en SERS, lo que determina su utilidad y su uso en determinados campos como, por ejemplo, en el de sensores moleculares, debido a la alta sensibilidad de esta técnica que permite detectar compuestos en muy bajas concentraciones e incluso a nivel de una única molécula. Mi investigación dentro del SERS se ha enfocado mayoritariamente al estudio de los mecanismos de intensificación a nivel electrónico y molecular, los cuales aún a día de hoy no están explicados completamente, y se hace necesario el uso de cálculos químico cuánticos para apoyar y explicar los resultados experimentales. Por otro lado, he tenido la oportunidad de colaborar como experta en espectroscopía Raman en proyectos muy bonitos como los dedicados a la identificación de pigmentos de obras artísticas o la caracterización de polímeros. Actualmente, soy coinvestigadora en el proyecto I+D+i "BIOindicadores en MARTE y Espacio (BIOMARSS)", un experimento de la Agencia Espacial Europea (ESA) relacionado con el proyecto BIOSIGN (Bio-Signatures and habitable Niches) liderado por la Dra. Rosa de la Torre Noetzel del Instituto de Técnica Aeroespacial (INTA) en Madrid. Este proyecto está enfocado en el estudio sobre la resistencia y adaptación de organismos de ambientes extremos al ambiente espacial y planetario (Marte, Europa, Encédalo, Titán), integrando los aspectos biológicos y geológicos (biogeomarcadores) como soporte de futuras misiones espaciales y planetarias.

¿Cuál es tu proyecto de investigación preferido y por qué motivo?

Me gustaría comentar en este apartado que mi trayectoria investigadora no ha ido en una sola línea desde sus comienzos y he estado involucrada en proyectos de investigación de muy distinta índole, pero con el factor común de la espectroscopía Raman y SERS. Debido a la versatilidad de estas técnicas y a sus múltiples aplicaciones, me he visto envuelta en diversos temas que han ido completando mi carrera investigadora con un trasfondo multidisciplinar, que considero muy importante para mí desarrollo científico. Sin duda el proyecto "BIOindicadores en MARTE y Espacio (BIOMARSS)" es uno de las iniciativas más emocionantes de las que me he visto envuelta hasta el momento y confío en que salgan resultados interesantes. La espectroscopía Raman ha demostrado ser una técnica tan potente para la identificación de compuestos que fue seleccionada hace muchos años para formar parte de misiones de exploración planetaria, como las que se han enviado a Marte. Muchos de los estudios que se están llevando a cabo en laboratorios terrestres, entre ellos los que forman parte de este proyecto, tienen como objetivo el análisis de muestras que se consideran análogos marcianos pues se ha descubierto que son capaces de resistir a condiciones de espacio y de Marte. Estos estudios formarán parte de un repositorio que servirá de referencia y apoyo a los que se obtengan en las investigaciones de exploración planetaria.

¿Cuándo decidiste que querías estudiar una carrera de ciencias? ¿Encontraste oposición en tu entorno cercano?

Desde pequeña he sido muy aplicada en todas las materias y era muy buena estudiante, pero las matemáticas es lo que más me gustaba y tenía facilidad para desenvolverme en los problemas con cálculos matemáticos. Cuando llegó ese gran momento en la educación secundaria de tener que elegir entre ciencias y letras yo lo tenía bastante claro, aunque no tenía ni idea si finalmente podría estudiar alguna carrera pues mi familia no disponía de los medios para permitirme salir fuera de mi pueblo a estudiar. Finalmente, gracias a las buenas notas y el afán de superación que siempre me ha acompañado, pude obtener las becas necesarias para estudiar y, aunque mi primera opción era estudiar arquitectura acabé estudiando química, mi segunda opción, y ahora me defiendo en "arquitectura molecular" y me alegro mucho de que las circunstancias de la vida me hayan llevado a finalizar esta carrera científica. El único impedimento que encontré fueron los medios materiales pues tanto la familia como los profesores que encontré en mi camino me animaron a seguir adelante.

¿Cómo ves la situación de la investigación en Óptica en España? ¿Cuál ha sido el impacto de los recortes en Ciencia en estos últimos años?

Dentro del campo de la espectroscopía molecular, que es donde me puedo defender mejor, desde luego se han conseguido implementar mucho las técnicas de análisis. Recuerdo que cuando estaba haciendo la tesis, el registro de un solo espectro Raman me llevaba unos 20 minutos (sí, habéis leído bien) y ahora en tan solo unos segundos podemos obtener un espectro con mucha resolución y en unos minutos una imagen Raman con cientos de espectros. Estos avances tecnológicos que incluyen materiales ópticos, dispositivos electrónicos, ordenadores, etc., han supuesto una mejora enorme en tan solo una década y ha influido directamente en la sensibilidad de todas estas técnicas, así como la posibilidad de estudiar algunos tipos de muestras en unas condiciones que antes no era posible. En este sentido la mayoría de los laboratorios se han beneficiado pero los grupos de investigación cada vez han visto más y más mermadas sus posibilidades para obtener subvenciones para la contratación de personal especializado y muchos de estos laboratorios que poseen instrumentación de última generación carecen de personal especializado con contratos dignos y estables que puedan sacar provecho científico de ellos. Por lo tanto, en mi opinión, se podría sacar como conclusión que la inversión en infraestructura científica debe ir acompañada de una inversión en paralelo de personal especializado para que tenga sentido. Aquí, en el tema de la estabilización de científicos con contratos dignos es donde tenemos una gran deficiencia en España.

Actualmente eres la presidenta del Comité de Espectroscopía de SEDOPTICA, ¿puedes hablarnos un poco de esta experiencia y qué te motivó a ello?

Cuando empecé mi andadura en el mundo de la investigación en el departamento de Química Física de la UMA, preparando nanopartículas de plata, un poco antes de acabar la carrera, ya empezaba a escuchar comentarios sobre la Sociedad Española de Óptica y el Comité de Espectroscopía, al cual me adherí en el año 2006. Recuerdo que mi primera conferencia científica la impartí en Coímbra en 2002 en la segunda Reunión Nacional de Espectroscopía a la que acudí, y llevan organizándose desde el año 1968. Aquello lo viví como todo un logro, delante de tantos expertos en el campo, con mis transparencias en acetato (literalmente) y con ese nudo en el estómago que pensaba que me iba a dar un síncope delante de todo el público. Sobreviví, pero hasta hace unos años no he superado levemente esta angustia del nudo en el estómago al dar una charla en un congreso científico. De todos los congresos internacionales a los que he acudido son estas reuniones las que recuerdo con más cariño, al estar entre conocidos y grupos de investigación que acuden de forma habitual, proporcionando la oportunidad a los jóvenes investigadores de dar el salto al estrellato y tener su primera experiencia como ponentes. En este sentido soy de la convicción de que las sociedades científicas en España no se valoran lo suficiente y la labor que hacen es magnífica, así como quienes pertenecen a estas sociedades que, en general, poseen unos valores que engrandecen y fomentan las labores de investigación, lo cual las hacen imprescindibles en nuestra sociedad. Cuando me ofrecieron el testigo para pertenecer a la Junta Directiva del Comité de Espectroscopía no lo dudé dos veces y pensé que podía colaborar con mi trabajo, en este caso como secretaria/tesorera en 2012 siendo la Presidenta Belén Maté Naya (CSIC). Posteriormente en 2016 ascendí a Presidenta en la asamblea que se celebró en la XXV RNE – IX

CIE celebrada en Alicante. Desde entonces llevo las riendas del comité en el que ha recaído la organización de la XXVII RNE – XI CIE dispuesta para el 2020 en Málaga pero aplazada al 2022 por motivos de la pandemia. Me da la impresión que cada vez las nuevas generaciones tienen un carácter más independiente y pseudo autosuficiente dentro de esta sociedad demandante de rápidas respuestas y poco pensamiento crítico, lo que hace que no tiendan a crear asociaciones y pertenecer a grupos con intereses comunes. Así, es probable que este tipo de sociedades pueden estar en peligro de extinción y hay que hacer un llamamiento de la necesidad de mantenerlas y luchar porque las autoridades reconozcan su incalculable valía.

Existe una diferencia manifiesta en el porcentaje de mujeres que ocupan los puestos más altos de la carrera académica. ¿Qué motivos crees que hay detrás de esta cifra? ¿Cómo se podrían mejorar estos porcentajes?

Este es un tema que se ha discutido desde muchas perspectivas y yo no soy una experta analista de ello pero puedo hablar desde mi punto de vista y mi experiencia personal. En concreto, en la universidad donde en las carreras técnicas y científicas existe un claro sesgo en los puestos de mayor rango, como directoras de departamento, decanas, investigadoras responsables de grupos de investigación o miembro de una comisión, se puede decir que todo aquello que esté sometido a votación hay una mayoría de votos favorables a puestos ocupados por hombres, lo que se materializa luego en la realidad que vemos. Por otro lado, la poca oportunidad de optar a esos puestos, debido en muchos casos, a una costumbre bien asentada de liderazgo masculino, hace que la propia investigadora no dé el paso para optar a los mismos. En la mayoría de los casos no hay ninguna intención machista sino la propia costumbre a que eso sea así, y muchos optarían por aprobar un estilo diferente si surge la oportunidad. Una experiencia que tuve a este respecto es la formación de una comisión de evaluación de plazas en mi departamento que se formalizó con los profesores que clásicamente pertenecían a esas comisiones y sin tener en cuenta a ninguna de las profesoras titulares más jóvenes. Después de solicitar que se incluyera en estas comisiones a un cupo de mujeres como sugería la propia universidad (sin ser una norma), la mayoría estuvo de acuerdo y se formó la comisión finalmente con tres profesoras y dos profesores. Si se lucha las cosas pueden cambiar pero lo que debería es existir, en vista de lo que ocurre bien sea por inercia, por dejadez, por machismo o por costumbre, unas leyes claras de cómo se deben realizar estas comisiones o al elegir los puestos relevantes en las diferentes instituciones. A ninguna mujer con formación nos gustaría que nos ofrecieran un puesto sólo por ser mujer sino por nuestros propios méritos y, a igualdad de méritos, en ningún caso debería primar el componente masculino como tampoco el femenino. Ahora bien, si un mérito reconocido es tener conferencias invitadas y los paneles de los congresos de tu área están dominados por investigadores, supone un obstáculo contra el que hay que luchar pues no estamos en igualdad de oportunidades. Queda un largo camino por delante y da la sensación que vamos a paso de tortuga pero lo importante es no perder el rumbo con las políticas de igualdad.

¿Has sido testigo de algún tipo de discriminación o diferencia en el trato que se le da a hombres y mujeres que ocupan un cargo similar? ¿Tienes la sensación de haber tenido que trabajar más que tus compañeros para lograr un reconocimiento similar?

Esta pregunta no es fácil de contestar puesto que la manera que una persona percibe la discriminación entre hombres y mujeres depende mucho de su educación ya que todo está relacionado, la educación personal que se recibe en casa y la experiencia profesional. Pienso que a edades tempranas las niñas y niños están muy influenciados por el componente familiar y en etapas posteriores la experiencia profesional y una mayor independencia hacen que se puedan apreciar las discriminaciones personales y laborales. En mi caso, no recuerdo que en el colegio o en secundaria haya tenido algún problema de discriminación. En la licenciatura de Química teníamos tanto profesores como profesoras y sí que había compañeros que tenían bastantes críticas con profesoras buenas y se notaba la preferencia hacia los profesores de la misma asignatura, en mi opinión no siendo especialmente tan buenos comunicadores. Esto por parte del alumnado, en cambio por parte del profesorado, he notado que había bastante diferencia entre los profesores de la antigua escuela y los que empezaban más jóvenes, pero tampoco recuerdo un trato discriminatorio especialmente notorio. En esa época estás en lo tuyo y no te fijas en los detalles, lo cual cambia radicalmente cuando eres tú la profesora y estás rodeada de compañeros varones. En mi departamento donde hasta el año 2016 ha habido una o dos profesoras titulares frente a nueve o diez profesores y catedráticos el sesgo de género era patente por propia estadística, de manera que se ha normalizado en muchas decisiones del departamento. A día de hoy cuenta con cinco profesoras (ninguna catedrática) frente a siete catedráticos y un profesor titular. Es un área típicamente masculinizada donde las nuevas generaciones de mujeres que nos hemos incorporado debemos coger el testigo para tratar de mejorar las oportunidades en igualdad de condiciones. Y, aunque legalmente tenemos las mismas oportunidades para acceder a los puestos de alto rango, lo cierto es que finalmente no se hace efectivo este hecho y se sigue imponiendo la ley de la mayoría y vuelta a empezar. En los más de 20 años que llevo vinculada a esta área se ha pasado de un 16% a, aproximadamente, un 38% de representatividad femenina y ningún ascenso a catedrática.

¿Consideras necesario fomentar las vocaciones científicas en las niñas y jóvenes? ¿Participas en alguna iniciativa de divulgación?

La educación en edades tempranas es la única herramienta eficaz que existe contra las desigualdades sociales de cualquier índole, entre ellas la desigualdad de género. En este sentido la escasa visibilidad de las mujeres científicas y tecnólogas en nuestra sociedad, así como la existencia de una imagen estereotipada del científico, mayoritariamente masculina, despiertan muy poco interés en las ciencias en las niñas y las jóvenes, perdiéndose mucho talento por el camino. Hay estudios que han demostrado que los estereotipos de género influyen en los intereses de niños y niñas de tan solo 6 años [Bian et al., Science 355,389–391 (2017)]. En este estudio se muestra que las niñas de 6 años son menos propensas que los niños a creer que los miembros de su género son realmente capaces para llevar a cabo tareas científicas y tecnológicas. Además, también a los 6 años, las niñas comienzan a evitar las actividades que se dice son para los niños «muy, muy inteligentes». Estos hallazgos sugieren que las nociones de brillantez de género se adquieren de manera temprana y tienen un efecto inmediato en los intereses de los niños. Por estos motivos, un grupo de investigadoras de áreas STEAM de la Universidad de Málaga hemos creado un grupo de trabajo denominado "Como

Tú" mediante el que pretendemos que mujeres científicas y tecnólogas sean referentes, inspiradoras de vocaciones entre niñas y niños desde primaria. Para ello, mediante charlas de orientación y talleres relacionados con nuestro campo de conocimiento las científicas y tecnólogas explicaremos a las niñas y niños en qué consisten las carreras de Ciencias y Tecnologías, y por qué y cómo puede llegar a ser una alternativa viable para ellas al igual que para ellos. Este es un proyecto que iniciamos en 2018 y a día de hoy seguimos adelante luchando por conseguir financiación y con la ilusión de hacer algo por revertir la situación.

¿Te has planteado en algún momento abandonar la carrera científica? Y si es así, ¿qué motivo te ha hecho retractarte?

A finales de mi licenciatura entré en contacto con el grupo de investigación de Espectroscopía Molecular del departamento de Química Física de la UMA y empecé a hacer algunos experimentos que me engancharon irremediablemente en este tema, donde desarrollé posteriormente mi tesina de licenciatura y luego la tesis doctoral. Al acabar la tesis vino la gran debacle emocional: sin beca, sin contrato de trabajo, sin beca posdoctoral a la vista. Aquí tuve lo que se puede decir una crisis de identidad y dudé si lo mío era seguir en este mundo de la investigación o virar hacia la empresa privada o la educación secundaria. Creo que es un momento muy decisivo cuando acabas la tesis y tienes que salir fuera de tu lugar de trabajo habitual, fuera de tu zona de confort y lejos de tus familiares y amigos para seguir tu camino. Es en este momento cuando las administraciones públicas deberían ofrecer más ayudas económicas para asegurar que esa formación científica tan valiosa se preserve y no vire hacia la empresa privada o enseñanzas medias.

En muchas ocasiones, acabas tu tesis y a continuación te la puedes jugar o seguir en un modo conservador y poco arriesgado y, en mi caso particular después de estar unos meses en el extranjero me surgió un contrato posdoctoral en Madrid, que aproveché para seguir en mi tema de investigación y en un par de años tuve la oportunidad de poder reincorporarme a la universidad de Málaga, donde obtuve hace unos años la plaza de Profesora Titular. No siempre las cosas salen así de bien y tengo muchos amigos que siguen luchando por volver a su país y esto da mucho que pensar. La pérdida del talento es algo patente en España, donde se invierte mucho en formación y poco en estabilización de los profesionales ya formados y sobradamente preparados. La inversión en la recuperación del talento debería ser una prioridad, pues sin ciencia no hay futuro y ahora más que nunca lo necesitamos.

Junio 2021 -
Entrevista a Rosa Ana Pérez Herrera

Rosa Ana Pérez Herrera

es cántabra de nacimiento (e Ingeniera en Telecomunicación por la Universidad de Cantabria) aunque navarra de adopción (y doctora por la Universidad Pública de Navarra con mención de Doctora Europea, así como Premio Extraordinario de Doctorado en el campo de Ingeniería y Tecnología).

En 2005 se unió al grupo de Comunicaciones Ópticas en el departamento de Ingeniería Eléctrica y Electrónica de la Universidad Pública de Navarra y su trabajo desde entonces le ha llevado a recorrer muchos países y culturas diferentes como Japón, Brasil o Corea, y a realizar estancias de investigación en sitios como Reino Unido, Italia o Portugal, su país favorito del mundo. En 2010 defendió su tesis, titulada "Design and Characterization of Wavelength Division Multiplexed Sensor Systems Using Optical Amplification" y desde 2021 hasta la actualidad trabaja como Profesora Titular de Universidad, todo ello en la UPNA.

En cuanto a la investigación, sus áreas de interés se centran en la amplificación Raman, los amplificadores de fibra dopada con erbio, los sensores de fibra óptica o las arquitecturas de multiplexación. Participa también en labores de divulgación para fomentar las vocaciones científicas femeninas en el área de la Óptica y forma parte de grupos de trabajo como el Área de Mujer, Óptica y Fotónica de la Sociedad Española de Óptica, donde participa como vocal del programa Mentoras.

Entrevista realizada por Paloma López.

Julio 2021 -
Entrevista a Francesca Gallazzi

Francesca Gallazzi

es originaria de Italia. Allí estudió primero en la Universidad de Turín y luego en la Universidad de Bolonia. Su primer contacto con la investigación tuvo lugar en España en las últimas etapas del Máster, el cual realizó en el Instituto de Estructura de la Materia del CSIC (Madrid).

Francesca obtuvo un doctorado en Electrónica por la Escuela Politécnica de la Universidad de Alcalá, por su trabajo sobre láseres de fibras ultralargos continuos y ultrarrápidos, realizado en el Grupo de Dinámica No-lineal y Fibras Ópticas del Instituto de Óptica del CSIC (Madrid) entre 2015 y 2019. Durante la etapa predoctoral formó parte del grupo de divulgación IOSA (ahora IOPTICA), student chapter de OPTICA del IO-CSIC y en el grupo de teatro científico TeatrIEM, que tienen como objetivo divulgar y despertar la curiosidad por la ciencia entre el público no especializado. En esta temporada también entró a formar parte de la recién creada área de Mujer, Óptica y Fotónica de SEDOPTICA, donde fue vocal de su Programa de Mentoras en el período 2019-2021.

Tras finalizar su doctorado, se incorporó al grupo de Ultrafast Photonics de la Universidad de Tampere (Finlandia), donde sigue con su trabajo como investigadora postdoctoral en el campo de la óptica no lineal ultrarrápida. En particular, su investigación está centrada en medidas ultrarrápidas en tiempo real y dinámicas no lineales en fibras ópticas.

Entrevista realizada por Beatriz Santamaría.

¿Podrías contarnos en qué consiste tu área de investigación y qué es lo que más te gusta de ella?

En mi tesis doctoral trabajé principalmente en el desarrollo de láseres de fibra óptica, cuyo objetivo era crear láseres sencillos y económicos de alta potencia haciendo uso de los efectos no lineales. Ahora mi trabajo se centra más en la óptica ultrarrápida, especialmente desarrollo técnicas para la caracterización en tiempo real de pulsos ultracortos y dinámicos no lineales. Me gusta el hecho de intentar siempre sobrepasar los límites anteriores para entender mejor la física detrás de estos fenómenos. El trabajo en laboratorio me encanta. Es donde, de verdad, podemos aplicar el método científico: hay problemas y hay que encontrar soluciones. Me encanta la sensación cuando, después de haber trabajado por mucho tiempo, algo finalmente funciona y sabes que lo has hecho tú. Es tu pequeña meta.

Gran parte de tu vida profesional la has dedicado a la investigación. ¿Qué te llevó a ello? ¿Cómo terminaste trabajando en España?

Pues la verdad es que he sido muy afortunada, quitando unos dos meses que trabajé en un museo, siempre he trabajado en investigación. Hace justo seis años este julio. Acabé trabajando en investigación y en España por culpa de España. Estuve haciendo parte de mi trabajo de fin de máster en el Instituto de Estructura de la Materia del CSIC en Madrid. Allí, trabajando con espectroscopía Raman, me acerqué a la óptica. El trabajo y el ambiente de trabajo me gustó tanto que decidí definitivamente que tenía que hacer un doctorado e intentar trabajar en investigación. Poco después de acabar mi máster tuve la oportunidad de volver a Madrid, esta vez al Instituto de Óptica del CSIC con una beca Marie Curie para hacer el doctorado en un campo totalmente nuevo para mí: las fibras ópticas. Alguien estaba renunciando a su beca y buscaban a un sustituto. Me lancé y no podría estar más contenta. Allí estuve más de 4 años trabajando en mi tesis doctoral, pero sabía que, al finalizar, lo mejor para mi carrera, era moverme al extranjero para una estancia postdoctoral. No descarto volver a España si se presenta la ocasión en el futuro.

Tu formación y tu carrera te han llevado por Italia, España y, ahora, Finlandia. ¿Has notado diferencias en lo que se refiere a roles de género en el trabajo?

En Italia solo trabajé como estudiante por lo que no sabría decir bien. La Universidad italiana tiene por lo general un sistema todavía muy "antiguo", los estudiantes y los profesores estan en mundos diferentes. En España tuve la suerte de trabajar en el Instituto de Óptica del CSIC dónde históricamente siempre ha habido bastante presencia femenina, pero sobre todo en la categoría de estudiantes. Siempre me encontré muy bien en mi grupo, pero es verdad que las mujeres éramos una minoría absoluta. Lo que me dejó más sorprendida fue Finlandia. Tenemos en mente a los países nórdicos como el paraíso de la igualdad. Efectivamente hay más medidas para la conciliación familiar y el cuidado de los niños especialmente. Finlandia es el país europeo con mayor tasa de empleo femenino. Aún así, el porcentaje de mujeres en ciencia no es diferente al del resto de Europa. El Instituto de Fotónica de mi universidad es muy numeroso, hay más de 100 personas trabajando, pero solo hay una profesora catedrática mujer y solo desde este año. Claramente hay más mujeres, entre los investigadores predoctorales especialmente. Sin embargo, el porcentaje comienza a bajar si hablamos de investigadores postdoctorales. Lo que más me ha sorprendido es que, de ese pequeño número de mujeres posdoctorales, casi todas son extranjeras. Bromeamos (desafortunadamente) diciendo que la mitad de las mujeres del Instituto están en mi grupo. Es un poco exagerado, pero es verdad que en las fotos parecemos el grupo "unicornio" ya que dos tercios somos mujeres (todas extranjeras) y eso que ni siquiera tenemos el prefijo bio- en el nombre. En resumen, pese a que los países nórdicos parezcan estar más adelantados en cuestiones de igualdad de género, en ciencia estamos igual de mal. La verdad es que esto me sigue chocando mucho.

¿Qué te ha aportado esta carrera tan internacional? ¿Qué ha sido lo más difícil en estas aventuras científicas fuera de tu país natal?

Creo que la carrera internacional me ha aportado capacidad de adaptación. En realidad, solo he trabajado en Europa y esto me ha ayudado porque tenemos de fondo una cultura muy parecida, especialmente entre España e Italia. Estando en la Unión Europea tenemos la suerte de ahorrarnos mucha burocracia. A veces no nos damos cuenta, por poner un ejemplo, no tenemos problemas de visados, permisos de estancia y cosas parecidas. Una vez que eres capaz de adaptarte al ritmo y metodología de trabajo del lugar al que acabas de llegar, las dificultades son menores. Otra de las ventajas que aporta una carrera internacional es que acabas teniendo muchos contactos y sabemos cómo de estos en ciencia. Personalmente tampoco he encontrado grandes dificultades a la hora de moverme, pero es cierto que siempre me he movido yo sola. Entiendo perfectamente que si tienes una familia las dificultades se multiplican. Quizás durante la pandemia la imposibilidad de viajar y movernos como queríamos sí que se me ha hecho más duro.

¿Crees que el contar con un curriculum internacional puede llegar a resultar una desventaja para las científicas frente a sus compañeros científicos? Por otra parte, el hecho de que las mujeres suelen tener más vínculos familiares y no han sido tan incentivadas a correr riesgos, ¿puede influir en que hayan seguido una carrera con menos movilidad internacional?

Quizás no soy la persona más adecuada para contestar esta pregunta ya que no tengo vínculos familiares que me impidan movilidad internacional. Efectivamente, el currículum "internacional" sigue siendo considerado como "el mejor", parece indicar que has hecho todo lo posible para tener la mejor carrera posible, aunque esto no sea necesariamente cierto en todos los casos. Además, a esto se le junta el hecho de que las mujeres siguen enfrentándose a muchos sesgos. Creo que la idea de que una familia completa se mude a otro país porque la mujer ha encontrado allí mejor trabajo le sigue pareciendo casi absurda a muchas personas. En ocasiones son los hijos los que nos frenan y si no los padres y al final ya sabemos quién suele ceder. En definitiva, algunas personas que se estancan en su carrera ven limitada la búsqueda de trabajo a un área geográfica determinada. Para superar esta situación habría que eliminar varios sesgos; por un lado, el hecho de que el currículum internacional sea mejor, por el otro, el normalizar que una mujer pueda tener una carrera de éxito y entonces desaparezcan los problemas para aceptar la movilidad. Además de todo ello, un cambio en el sistema de puntuación para las plazas, contratos y acreditaciones podría definitivamente ayudar en esos casos, ya que crea mayor igualdad para todos los candidatos: un lugar de trabajo no tiene que valer más que otro simplemente dependiendo de su posición geográfica.

En tu estancia en Finlandia, ¿has percibido que la concepción de la ciencia o la organización del trabajo sea diferente al vivido en España?

Sin duda hay diferencias entre países como España, Italia o los países nórdicos, en mi caso Finlandia. Aunque estas diferencias se pueden encontrar en todos los tipos de trabajo y no tan solo en ciencia. En cuanto a Finlandia, lo primero que se me ocurre es que la organización del trabajo es diferente. Aquí no existe el concepto de "estar calentando la silla" durante horas interminables al día. Una vez se acaban tus horas de trabajo, te vas. A veces es complicado encontrar a alguien después de las 4 de la tarde o hay gente trabajando desde casa (esto incluso sin pandemia de por medio) y eso es, afortunadamente, lo normal. Esta forma de trabajar ayuda mucho a la conciliación familiar o, en general, a disponer de tiempo para la vida a personal fuera del trabajo. El tiempo libre o para ti misma es considerado muy importante.

Por otra parte, en Finlandia, la ciencia tiene a su alrededor un halo de respeto, pero aquí también se han sufrido recortes de financiación en los últimos años. Aun así, algo positivo a destacar es la sencillez en la burocracia respecto a la que muchos científicos sufren en España, es sin duda una ventaja. Además, aquí se puede desarrollar una carrera científica totalmente respetable sin tener que estar estrictamente ligada a lo académico. Tras finalizar el doctorado, el dedicarte al 100% a la ciencia o terminar en la industria, no supone ningún fracaso y las personas con máster y doctorado son valoradas en las empresas como personal altamente cualificado.

Como alguien que ha ganado un par de premios por tu trabajo predoctoral y en vista a que en los últimos años se han empezado a dar premios "para mujeres". ¿Qué opinas de ellos? ¿Les ves alguna ventaja?

Me encanta que me hagas esta pregunta porque "he ganado un par de premios" jeje... Y en mi cabeza pienso: "bueno, no fue para tanto" (en concreto fueron premios en el congreso OPTOEL, la Reunión Nacional de Optoelectrónica de SEDOPTICA). Pero probablemente ese "no es para tanto" solo evidencie un problema: el síndrome de la impostora que muchas mujeres sufrimos. Creo que tenemos muy interiorizado que lo justo es quitarnos el merito y esto muchas veces nos invisibiliza, juega en nuestra contra.

En lo referente a los premios "para mujeres", es un tema un poco espinoso y, personalmente, no creo haya una respuesta unánime. Por un lado, como estamos invisibilizadas, todo lo que es dar visibilidad a las mujeres investigadoras debería de ser bienvenido. Por otro lado, dejan entrever que se tienen que hacer premios especialmente dedicados a mujeres para que estas puedan ganar algo. En realidad, sabemos que hay muchos más problemas detrás, por ejemplo, la falta de candidaturas presentadas por mujeres a los premios, los sesgos en los jurados y la falta de paridad en los estos últimos. Personalmente, creo que las sociedades científicas no deberían asignar premios científicos "para mujeres", aunque sí podrían premiar a alguien por su empeño en alcanzar la igualdad y diversidad en ciencia. Otra cosa diferente es si una sociedad o asociación no científica quiere convocar un premio para mujeres para visibilizarlas, se me ocurren el ejemplo de los premios de L'Oreal. Premios de este tipo no me parecen negativos especialmente si se juntan con una dotación económica, ya que sabemos que es más complicado conseguir financiación para las mujeres.

Como coordinadora del Programa Mentoras del Área

de Mujer, Óptica y Fotónica de SEDOPTICA, ¿qué crees que le puede aportar a las jóvenes esta iniciativa? ¿Cómo ha sido tu experiencia personal al respecto?

Durante nuestra carrera, muchas veces tenemos preguntas, pero no sabemos a quién hacerlas. Si eres una joven investigadora hay preguntas que seguramente no puedes o no quieres hacer directamente a tu supervisora o supervisor, especialmente si hablamos de preguntas no estrictamente científicas como, por ejemplo, consejos sobre cómo avanzar en tu carrera. A veces incluso simplemente tenemos curiosidad por una opinión diferente pero que puede ser complicada de encontrar, especialmente si no se trabaja en grupos grandes. El objetivo del programa de mentoras es ayudar a las jóvenes investigadoras a crear una red de contactos para que puedan conseguir respuestas a sus preguntas, ya que lo más probable es que alguien haya pasado ya por la misma experiencia. La actual situación de pandemia nos ha impedido llevar a cabo algunas de las actividades del programa de mentoras que nos habíamos planteado y hemos tenido que cambiar un poco el foco. Hemos desarrollado una serie de webinars, Científicas_Conectadas (podéis encontrar los vídeos en el canal de YouTube SEDOPTICA) que han tenido mucho éxito y que especialmente nos han gustado mucho. Hemos hablado de ciencia con científicas y también de otras temáticas a las que las investigadoras se enfrentan como consejos para dar un impulso a tu carrera, salud mental (a veces la gran olvidada de la carrera investigadora) y de divulgación. Para mí, gestionar el Programa de Mentoras ha sido una experiencia muy buena, justamente porque creo me faltaba experiencia de gestión y organización y esto me ha ayudado mucho. Espero que finalmente podamos organizar actividades de manera presencial en el próximo curso para llegar a un mayor número de investigadoras.

Septiembre 2021 -

Entrevista a Rocío Borrego Varillas

Rocío Borrego Varillas

es científica titular en el Consejo de Investigación de Italia (CNR). Obtuvo el doctorado en Física por la Universidad de Salamanca en 2013 y en el mismo año consiguió una beca Marie Curie para realizar una estancia postdoctoral en el grupo del Prof. Giulio Cerullo en la Politécnica de Milán. Durante dicho periodo, desarrolló técnicas novedosas para la generación de pulsos ultracortos en el ultravioleta que aplicó al estudio de dinámicas moleculares. Actualmente dirige las actividades científicas en los laboratorios de espectroscopia molecular con resolución de attosegundos en el CNR. Por sus aportaciones a la comunidad científica, ha recibido el premio Ivan Kaminow de la Sociedad Americana de Óptica y el *Early Career Women in Photonics Award* de la Sociedad Europea de Óptica.

Entrevista realizada por Beatriz Santamaría.

Cuéntanos un poco más sobre ti, ¿en qué consiste tu investigación y en qué campos se puede aplicar? ¿qué es lo que te motivó a trabajar en este área?

Mi campo de investigación es la óptica ultrarrápida. En mi caso he tenido la gran suerte de poder aprender y disfrutar desde la parte más tecnológica a la parte más aplicada. Durante el doctorado me especialicé en la caracterización de pulsos ultracortos, mientras que durante el postdoc mi trabajo consistió en el desarrollo de nuevas técnicas para la generación de pulsos de pocos femtosegundos (1 fs = 10^{-15} s) en el ultravioleta. Por razones técnicas, es difícil obtener este tipo de pulsos, pero sus aplicaciones son extremamente interesantes ya que la mayor parte de moléculas de interés biológico (como pueden ser las bases del ADN o algunos aminoácidos) absorben en el ultravioleta.

Por ello, el siguiente paso que para mí fue natural durante el postdoc fue aplicar los *setups* que había desarrollado para construir una línea de espectroscopia ultrarrápida en el ultravioleta. Esto nos permitió, por ejemplo, estudiar cómo es el mecanismo de fotoprotección en las bases del ADN (cuando absorben luz ultravioleta la "transforman en calor" en pocas decenas de femtosegundos, evitando que se dañe la cadena de ADN).

En la actualidad, estoy interesada en estudiar procesos aún más rápidos: las dinámicas electrónicas, que evolucionan desde centenas de attosegundos (1 as = 10^{-18} s) a pocos femtosegundos. Son mecanismos fundamentales ya que determinan la distribución de los enlaces químicos.

Además de que me encantaban las asignaturas de Óptica y en Salamanca había (y hay) un grupo fuerte en esta área, creo que lo que más me motivó a adentrarme en este ámbito de la óptica, fue precisamente el hecho de poder desarrollar herramientas ópticas que después me permiten estudiar procesos de física fundamental.

Realizaste el doctorado en Salamanca y en 2013 recibiste una beca Marie Curie para unirte al grupo del profesor Cerullo en el Politecnico di Milano, Italia. Desde tu situación actual, ¿cómo ves las posibilidades de estabilización/financiación?

Tanto en Italia como en España, la financiación de la investigación fundamental a nivel nacional es muy escasa e inevitablemente esta falta de inversión se traduce también en dificultades para la estabilización.

Para los investigadores jóvenes es difícil conseguir financiación para iniciar un grupo ya que la mayor parte de proyectos nacionales no están divididos por rangos de edad, por lo que las vías se reducen casi únicamente a proyectos europeos competitivos como las ERC Starting Grant. Sí me parece positivo que en los últimos años algunas comunidades hayan implementado programas propios para la atracción de talento, aunque por desgracia en algunos casos han sido programas puntuales que no han tenido continuación. En Italia la situación es muy parecida: en Lombardia, por ejemplo, tenemos un programa de la Fundación Cariplo para apoyar solicitudes ERC que fueron calificadas A sin financiación, aunque también en este caso ha habido fuertes recortes en los últimos años.

Desde tu experiencia personal, ¿dónde se encuentran las mayores dificultades para lograr la estabilización dentro de la carrera investigadora?

Creo que sin lugar a dudas el momento más crítico llega al terminar el postdoc, principalmente por la escasez de plazas con contrato indefinido. A ello se suma además que, siendo trabajos tan especializados, hay pocas ciudades donde se puedan desarrollar y a menudo conlleva inevitablemente trasladarse, con el consecuente compromiso entre vida familiar y laboral.

¿Crees que las medidas políticas en cuanto a paridad adoptadas en los últimos años han tenido un impacto real en la carrera de las investigadoras?

Es difícil de valorar. Según el informe *Mujeres Investigadoras* del CSIC no ha habido mejoras significativas; el de "Científicas en cifras" del FECYT muestra algunas tendencias positivas un ligero aumento de la presencia de investigadoras, pero aún notables deficiencias. La más preocupante bajo mi punto de vista es una disminución en el número de alumnas matriculadas en carreras de ciencias e ingenierías.

¿Cuál dirías que ha sido, o han sido, las decisiones laborales más determinantes en tu carrera investigadora? ¿Crees que has tenido que renunciar a más cosas que tus compañeros para llegar a donde estás ahora?

No sé si he tenido que renunciar a más cosas que mis compañeros, pero de lo que estoy segura es que todas las personas que conozco que han tenido una buena trayectoria profesional son muy trabajadoras y determinadas. Probablemente ha habido dos decisiones que fueron difíciles en su momento, pero determinantes para mi carrera. La primera fue salir al extranjero para el postdoc y conseguir una Marie Curie. La segunda, cambiar hace dos años a otra línea de investigación: el principio fue duro porque tuve que aprender muchas cosas nuevas, pero esto me ha permitido combinarlo con mi experiencia anterior para poder progresar e idear nuevos proyectos.

¿Cuáles son los objetivos laborales de aquí a 10 años? ¿Dónde y cómo te gustaría estar, laboralmente hablando, en un futuro cercano?

En pocas palabras, seguir disfrutando con lo que hago y consolidar una carrera independiente.

¿Crees que las labores de mentorización tienen un efecto directo o importante sobre las futuras generaciones de los y las investigadoras? ¿Has tenido alguna referente femenina a lo largo de tu carrera?

En mi opinión sí. Recientemente los estudiantes de doctorado con los que trabajo me comentaban que habiendo tenido profesoras desde el primer año de carrera y viendo que algunos de los grupos de investigación del departamento están dirigidos por mujeres, no habían notado la brecha de género, lo cual creo que es algo muy positivo. Estoy convencida que es fundamental que todos, pero especialmente las niñas, tengan como modelos de científicos tanto hombres como mujeres para eliminar los estereotipos que existen a nivel social. A modo de anécdota, hace algún tiempo estaba viendo un catálogo de juguetes con la hija de una amiga y al llegar a la página de los microscopios y telescopios me dijo "que a partir de ahí eran juguetes de niño". Me quedé muy sorprendida y al preguntarle el porqué me respondió que "en la caja de todos esos juguetes sale siempre un niño".

Referentes femeninas para mí han sido Isabel Arias (Universidad de Salamanca) y Cruz Méndez (CLPU) durante la carrera y el doctorado y, de forma muy especial, Gladys Mínguez Vega (Universidad Jaume I) durante mi estancia en Castellón. Todas ellas han sido grandes ejemplos a nivel humano y profesional.

Octubre 2021 -

Entrevista a María Viñas

María Viñas

La investigación de la Dra. María Viñas se centra en el estudio de la física y la psicofísica de la visión, así como en nuevos tratamientos oculares mediante el uso de diferentes tecnologías biofotónicas (óptica adaptativa, elastografía de coherencia óptica, microscopía SHG). Su trabajo ha dado lugar a importantes contribuciones, en forma de publicaciones de alto impacto, presentaciones en congresos y transferencia de tecnología en las áreas de aberraciones cromáticas en ojos fáquicos y pseudofáquicos y su impacto en la visión; efectos ópticos, visuales y neuronales del astigmatismo, aberraciones de alto orden y correcciones présbitas, simuladas con óptica adaptativa. También es miembro fundador de la empresa spin-off 2EyesVision, que desarrolla simuladores visuales clínicos.

La Dra. Viñas es una apasionada de la divulgación de la Óptica, con varios eventos y 2 libros publicados, y está muy comprometida dentro de la comunidad de Óptica (Ambassador y miembro senior de OPTICA; Presidenta del Comité de Ciencias Visuales de la Sociedad Española de Óptica).

Entrevista realizada por Martina Delgado.

María, culminas ahora tu periodo como presidenta del comité de Mujer en Óptica y Fotónica de SEDOPTICA. Han sido cinco años en los que se ha puesto en marcha un proyecto que cada vez está más consolidado y que es un comité realmente activo. ¿Cuál fue la motivación que os llevó a ti y a las fundadoras a ponerlo en marcha?

Motivaciones hay muchas y muy variadas dentro del equipo que lanzó este proyecto en 2017. Los resultados de la desigualdad de género en Ciencia son más que evidentes y los números describen un panorama que cambia tan lentamente, que parece no moverse a veces.

En el caso de MOF, en concreto, sí que hubo un detonador muy específico. El anuncio del n-ésimo ciclo de conferencias con nombre de investigadora famosa, con nula representación femenina en el programa. Mi reenvío de esa convocatoria con el consiguiente texto al respecto, algo indignado, a un grupo de investigadoras jóvenes de diferentes instituciones, tuvo como respuesta una serie de correos con quejas y comentarios variados, pero de ahí también surgieron algunas discusiones interesantes. Una de las ideas fue la creación de un grupo de Investigadoras en Óptica y Fotónica dentro de la Sociedad Española de Óptica para visibilizar este tipo de situaciones e intentar corregirlas en la medida de lo posible. La Dra. Sara Núñez (Universidade de Vigo) y yo misma escribimos una carta a todos los miembros de SEDOPTICA explicando el por qué de la necesidad de dicho comité. Desde ahí, comenzamos a trabajar con SEDOPTICA para explicar a los socios la necesidad de dicho comité y las áreas de trabajo que pretendíamos abarcar. En ese sentido, tenemos que reconocer y agradecer el apoyo expreso e incondicional del entonces presidente de SEDOPTICA, Ignacio Moreno, que avaló la iniciativa desde el minuto uno y nos dió todo su apoyo personal e institucional. La formación del Área de Mujeres en Óptica y Fotónica (SEDOPTICA-MOF) fue aprobada por mayoría de los socios de SEDOPTICA en la Asamblea celebrada en la RNO2018 en Castellón.

Sin embargo, no nos libramos de algunos comentarios del tipo "esto no es necesario", "en Óptica la situación está muy bien", "hay mucha representación", etc. No hay más que echar un vistazo a los números de la propia SEDOPTICA para ver que sí, que en algunos comités se llega al 50% mientras que en otros no se pasa del 20% de presencia femenina. Y que estas tendencias van cambiando muy, muy lentamente.

Por otro lado, la creación del Área de Mujeres en Óptica y Fotónica nos parecía una buena vía para incorporar a investigadoras y profesionales jóvenes e invitarlas a colaborar en diferentes iniciativas de SEDOPTICA-MOF. Principalmente la franja de investigadoras postdoctorales, a la que pertenecíamos algunas de las promotoras originales de la idea, era de especial interés, por ser una de las más afectadas por las desigualdades de género en la carrera investigadora, y a la vez, ser el futuro de las investigadoras en Óptica en España. La verdad es que hemos conseguido conformar un grupo de trabajo muy activo, transversal y que está formado por investigadoras pre- y post-doctorales, así como alguna senior, todas de áreas de investigación muy diversas.

De todas las actividades de este comité, entiendo que es difícil seleccionar una. Aparte de la organización de la Reunión Nacional de Óptica, que tiene un carácter que va más allá de los objetivos fundacionales de

SEDOPTICA-MOF, ¿cuál es la que te ha traído más satisfacciones? ¡Venga, mójate!

En estos cinco años, o en los tres en los que SEDOPTICA-MOF se conformó oficialmente, hemos realizado una gran cantidad de actividades: mesas redondas, entrevistas, eventos en persona, eventos online, webinars, programas de mentoras, y algunas que me dejo por ahí. Todas ellas con gran participación de la comunidad de Óptica y Fotónica y gran apoyo institucional y empresarial.

Sin embargo, el evento más importante desde mi punto de vista, ya que supuso el pistoletazo de salida del proyecto, fue el I Workshop de Mujeres en Óptica y Fotónica que se celebró en Madrid, en el campus central del CSIC, en septiembre de 2019, menos de un año después de la creación de MOF, con el objetivo de fortalecer la ya existente red de mujeres en Óptica y Fotónica en diferentes entornos (universitario, científico, empresarial). Para ello reunimos a un amplio número de ponentes de diferentes ámbitos docentes, universitarios, científicos y empresariales para tener una visión global de la situación de la mujer en el mundo de la Óptica y la Fotónica en España. El evento reunió a más de 120 estudiantes, científicas, profesoras, profesionales del área y emprendedoras, de todos los puntos geográficos, conformando una foto de grupo en el que han quedado representadas varias generaciones de científicas españolas. Como expresaron varias de las asistentes, la jornada se vivió como un acontecimiento histórico, catalizador de diferentes iniciativas para reducir los problemas de género en Óptica y Fotónica. En números el evento reunió a 120 asistentes, 15 empresas colaboradoras, 10 ponencias, 2 mesas redondas y se entregaron 14 bolsas de viaje.

Foto de grupo del I Workshop Mujer, Óptica y Fotónica

Tu participación en sociedades científicas va más allá de SEDOPTICA, también eres Optica Ambassador, Optica fellow y miembro de la SPIE. Además, colaboras estrechamente con los chapters de la Optica en España. ¿Por qué crees que es importante participar en sociedades científicas? Es algo muy desconocido para muchos investigadores e investigadoras, sobre todo los que comienzan. ¿Qué les puede aportar a sus carreras? ¿Crees que ha mejorado tu carrera investigadora?

En mi caso surgió de manera muy natural. Al llegar al Instituto de Óptica como investigadora predoctoral en seguida me integré en la asociación de estudiantes predoctorales que hacían divulgación, el IO-CSIC Optica student chapter (IOSA), y empecé a colaborar en actividades de divulgación, carrera científica, seminarios, etc. No solo me ayudó a desarrollar muchas capacidades que luego me han venido bien como científica (no hay nada más difícil que explicar en palabras sencillas tu trabajo en el laboratorio) sino que me dio acceso a una buena red de contactos, a mucha información sobre convocatorias, premios, etc. y me permitió, con el tiempo, integrarme de manera activa en las mismas (participando en Tecnical Groups, siendo chair de comités o de pogramas de becas, siendo chair de sesiones en congresos, etc). Creo que es importante ayudar a la comunidad científica a la que perteneces, estando en contacto con ella y ayudando a solucionar los problemas que pueden existir en la misma. Además se puede contribuir en un aspecto puramente científico (en congresos, comités evaluadores, etc), pero también de gestión dentro de las propias sociedades. Creo que, en general, es un aporte positivo a tu carrera.

Hemos hablado mucho de tu trabajo en sociedades científicas, pero, ¿qué hay de tu trabajo diario? Hiciste la tesis en el Grupo VioBioLab del IO-CSIC dirigido por Susana Marcos, uno de los laboratorios punteros a nivel mundial en tu campo, y ahora eres postdoc en Harvard Medical School. ¿Nos cuentas en qué consiste tu trabajo de investigación?

Mi área de trabajo es la Óptica Visual y la Biofotónica, en concreto la utilización de tecnologías fotónicas para estudiar el proceso de la visión y los procesos físicos asociados a la misma, así como el desarrollo y evaluación de tratamientos oculares utilizando diferentes tecnologías (por ejemplo Óptica Adaptativa (AO), Simulación Óptica y Visual, Elastografía de coherencia óptica (OCE), Microscopia de generación de segundo armónico (SHG)). He trabajado intensamente en el estudio de la óptica ocular, tanto mono- como policromática y su impacto en la visión, y los procesos de adaptación neuronal asociados, tanto en ojos fáquicos como pseudofáquicos. En el desarrollo de simuladores visuales basados en Óptica Adaptativa para el estudio de la óptica ocular y el desarrollo de nuevas correcciones para la Presbicia y la Miopía.

Actualmente tengo un proyecto ERC-MSCA para el estudio biomecánico y estructural de los medios oculares en el desarrollo de la Miopía, así como el desarrollo de posibles tratamientos futuros para la Miopía. Es un proyecto muy multidisciplinar en el que estoy colaborando con investigadores de áreas muy diferentes. Esta es una característica muy singular de mi área de investigación en la que la colaboración entre oftalmólogos, optometristas, físicos, químicos, e ingenieros de diferentes especialidades es imprescindible. Aprendes mucho de investigadores con formación muy diferente a la tuya y surgen ideas muy interesantes gracias precisamente a esa variedad de puntos de vista. Es algo que siempre me ha parecido muy enriquecedor y de lo que me beneficié desde el principio al desarrollar mi trabajo predoctoral en un grupo grande, multidisciplinar e internacional.

La movilidad de los científicos y científicas es un tema siempre a debate. Ahora mismo, estás en Estados Unidos. Por supuesto, es deseable conocer nuevos entornos de trabajo y aprender nuevas técnicas pero, cuando perteneces a uno de los grupos más relevantes a nivel mundial en tu campo, ¿crees que sigue necesaria esa exigencia como requisito? ¿Qué aporta a nivel científico?

La movilidad de los científicos es siempre enriquecedora, tanto desde la primeras estancias predoctorales, donde conoces grupos nuevos y empiezas tu red de colaboradores, como en las postdoctorales donde puedes participar en proyectos muy diferentes, multidisciplinares y que te preparan para liderar tus propios proyectos. Lo que no tiene mucho sentido es pedir movilidad sin luego ofrecer nada de estabilidad. No se puede exigir un periplo de equis estancias postdoctorales simplemente porque no hay manera de estabilizar a esos investigadores. Es talento perdido. Tampoco parece muy interesante el tener que hacer estancias de investigación no muy relevantes en el extranjero, simplemente como manera de añadir una línea más a tu CV, que de otro modo perdería competitividad en una convocatoria nacional.

Creo que, en muchos aspectos de la carrera científica, debería empezar a primar la evaluación de la calidad y no de la cantidad. Pero es cierto que en un tiempo de nula inversión y nula planificación a medio-largo plazo en Ciencia y Tecnología (da igual cuando leas esto) la competitividad se exacerba ya que los recursos son más que escasos y el talento tiende a emigrar/abandonar. Esto tiene un impacto claro en la vida de los científicos, en los que la supervivencia prima sobre todo lo demás, afectando a la conciliación, a la salud mental, a todo, en general. Si eres un superviviente, te llega muy poquita fuerza para todo lo demás.

En el caso de las investigadoras, además de los sesgos de género que sufrimos desde la etapa escolar, la precarización de la carrera investigadora tiene un impacto especialmente devastador. En la etapa postdoctoral se ve claramente como la movilidad, la precarización, y la falta de estabilidad afectan de manera significativa a la carrera científica de las mujeres. Y todo eso, sin hablar de maternidad y conciliación. Hay mucho trabajo por delante para conseguir una igualdad real en la carrera científica.

También hay un debate en la comunidad científica sobre la transferencia. Las declaraciones de la ministra Diana Morant reclamando más transferencia de resultados levantó algunas respuestas en desacuerdo por

parte de los científicos, que defendían la importancia de la investigación en ciencia básica, como si creyéramos que esto es un juego de suma cero en el que apoyar una vertiente significa reducir la otra. ¿Cuál es tu opinión? ¿Debería haber más interés e incentivos por parte de la comunidad académica para transferir los conocimientos, ya sea en forma de patente o de divulgación al público general?

Creo que antes de hablar de transferencia hay que empezar por el principio. Hay que invertir en ciencia básica, hay que tener una carrera científica definida, hay que dotar a los centros y a los investigadores de fondos y medios, hay que eliminar la burocracia excesiva que bloquea el sistema, hay que generar tejido industrial, hay que contar que el futuro de un país depende de la inversión en I+D. Y luego ya si, con todo eso, hablemos de transferencia de resultados en forma de patentes, empresas de base tecnológica, etc.

La divulgación es una herramienta esencial para acercar los laboratorios a la sociedad. Para tener sociedades mejor formadas científicamente que entiendan los beneficios de invertir en Ciencia y Tecnología. Debería, por tanto, ser una obligación de las instituciones el dedicar tiempo y recursos a ella. Esto ocurre de manera muy residual. Casi siempre, desde el punto de vista de un investigador, siempre he visto la divulgación como algo vocacional sin mucha recompensa, más allá de la propia personal. Creo que debería valorarse mucho más el esfuerzo en divulgación que hacen muchos investigadores sin recursos ni apoyo.

Tú eres fundadora de una empresa de transferencia de resultados de investigación, 2EyesVision. Más allá de rendimientos económicos, ¿qué te aportó a tu forma-

ción? ¿Qué cosas aprendiste que no son evidentes desde una formación científica convencional?

Aprendí muchísimo. La empresa se formó en 2015, cuando yo estaba acabando mi tesis doctoral, y estuve muy involucrada en la validación de la tecnología y el salto del laboratorio a la clínica (la empresa desarrolla simuladores visuales clínico para aplicaciones en Presbicia y Miopía). En cuanto a la parte tecnológica ha sido un viaje alucinante, pero todo lo que rodea a ese núcleo científico ha sido un descubrimiento aún mayor. Desde la gestión de la transferencia, a las estrategias de desarrollo de la empresa, rondas de inversión, estrategia empresarial, etc. He sido, y sigo siendo, muy afortunada por haber podido aprender un poquito de todo ese proceso, claramente muy lejano de mi día a día en el laboratorio. Es muy gratificante ver que una tecnología desarrollada en el laboratorio ha dado el salto a la clínica oftalmológica y ahora ayuda a mejorar la vida de muchos pacientes.

Diciembre 2021 -

Entrevista a Verónica González-Fernández

Verónica González-Fernández

es doctora en Física por la Universidad de Valladolid. Realizó su postdoctorado en el Laboratoire Physique des Interactions Ioniques et Moléculaires (CNRS-Aix Marseille Université), donde también llevó a cabo tareas docentes. Su investigación en ese período se centró en el diagnóstico óptico de plasmas, mediante diferentes técnicas: espectroscopía láser, espectroscopía de emisión y tomografía.

Desde 2020 es profesora ayudante doctora en el Departamento de Óptica de la Universidad Complutense de Madrid. Sus intereses de investigación se centran ahora en el desarrollo de estrategias para medir y calibrar dispositivos de óptica difractiva para continuar explorando nuevas aplicaciones para el diagnóstico de plasma.

Ha participado de manera muy activa en tareas divulgativas. En 2014 fue cofundadora de la asociación sin ánimo de lucro Physics League, dedicada a la divulgación de la Física para público general. Con esta asociación creó talleres y shows, que la llevaron a ganar dos premios *Ciencia en Acción*. Ha sido la presidenta del Área de Mujer, Óptica y Fotónica de SEDOPTICA de 2021 a 2024.

Entrevista realizada por Rosana Pérez.

Las niñas necesitan tener modelos a seguir en cualquier carrera que elijan; solo así podrán imaginarse a sí mismas ocupando esos puestos algún día.

Sally K. Ride

Desde WestIndies queremos agradecerle el tiempo que ha dedicado a leer *Mentes brillantes*. Esperamos que le haya gustado, y si así ha sido, le animamos a que lo recomiende.